REIKI
MYSTÈRES ET ACCOMPLISSEMENTS

Données de catalogage avant publication (Canada)

Dufour, Élizabeth, 1946-

Reiki: mystères et accomplissements

Nouv. éd.
(Collection Spiritualité)

ISBN 2-7640-0367-6

1. Reiki. 2. Esprit et corps. I. Titre. II. Collection.

RZ403.R45D83 1999 615.8'52 C99-940717-1

LES ÉDITIONS QUEBECOR
7, chemin Bates
Outremont (Québec)
H2V 1A6
Téléphone: (514) 270-1746

Bibliothèque nationale du Québec
Bibliothèque nationale du Canada
ISBN 2-7640-0367-6

Éditeur: Jacques Simard
Coordonnatrice de la production: Sylvie Archambault
Révision: Jocelyne Cormier
Correction d'épreuves: Solange Tétreault
Illustration de la page couverture: Christine Gagnon

Nous reconnaissons l'aide financière du gouvernement du Canada par l'entremise du Programme d'Aide au Développement et l'Industrie de l'Édition pour nos activités d'édition.

REIKI

MYSTÈRES ET ACCOMPLISSEMENTS

ÉLIZABETH DUFOUR

Ce livre est dédié à l'amour inconditionnel,
à la gratitude et au pardon
ainsi qu'à tous ceux qui œuvrent
à la venue d'un monde meilleur.

Ô grande source de tout ce qui est,
je m'offre à toi comme un canal vivant de ta volonté divine.
Fais descendre en moi ton énergie
de guérison et que ta volonté soit faite!

TABLE DES MATIÈRES

REMERCIEMENTS

Je remercie d'abord monsieur Jacques Simard, éditeur chez Quebecor, qui m'a demandé d'écrire un livre sur le Reiki. J'ai pensé que partager mon expérience en tant que maître Reiki et apporter les témoignages de mes élèves pourrait être très intéressant. Grâce à monsieur Simard, j'ai relevé un grand défi de ma vie : écrire ce livre.

Tout au long de notre cheminement, nous rencontrons des gens exceptionnels qui transforment nos vies. Ce ne fut pas différent pour moi. J'ai eu le bonheur de rencontrer un tel être, mon maître spirituel. Elle est mon inspiration, et je sais qu'elle guide chacun de mes pas dans cette voie évolutive qu'est le REIKI.

Et comment ne pas remercier mon grand copain Jean-Marc Pelletier, qui m'a permis, par sa confiance et son affection, de réaliser mon rêve, celui de devenir «Maître Reiki». Fidèle à lui-même, il n'a pas eu peur de partager ses connaissances.

À mon amie Rollande Bélanger, merci pour son encouragement et pour avoir accepté d'être notre modèle pour les séances de photos. Je remercie mon frère, André Dufour, qui a gracieusement offert ses services de photographe. Je tiens à souligner le travail extraordinaire de mon amie Vandana Gillain, qui a accepté d'écrire la préface de ce livre et qui a fait une grande partie des corrections, m'aidant ainsi à en rendre la lecture plus agréable. Je remercie également Dianne L'Espérance pour son aide précieuse.

Je tiens aussi à exprimer ma reconnaissance à mon ami Jac Lapointe, cet extraordinaire peintre visionnaire, qui a conçu la page couverture. Merci également à tous ceux qui ont été responsables directement du contenu de ce livre : les maîtres Reiki, les élèves et vous, car ce livre est votre amour, votre foi et votre cheminement. Ce livre, c'est vous!

PRÉFACE

Consciemment ou non, nous cherchons tous à trouver notre vraie nature, à trouver un bonheur au-delà des apparences quotidiennes. Cette quête se reflète dans nos gestes, nos rencontres, nos rêves et idéaux, sans toutefois toujours réaliser que cette quête est notre chemin vers la Réalité divine de notre être.

Par son livre, *Reiki, mystères et accomplissements*, Élizabeth Dufour répond à ce grand cri du cœur qui désire nous voir nous ouvrir à la réalité de la nature humaine, c'est-à-dire l'homme en tant qu'être de lumière.

Tout au long de ces pages, Élizabeth nous entraîne dans un voyage vers les pays d'intérieur qui régissent le monde manifesté. Par les mystères et témoignages, elle nous révèle cette présence divine à l'intérieur de nous-même, présence d'amour pur, totalement bienfaitrice. Elle nous initie à la pratique du Reiki, nous apporte une clef ouvrant notre conscience à ce monde d'énergies subtiles, nous invitant ainsi à nous servir des pouvoirs immenses de notre énergie à la fois pour notre bien-être physique, mental et spirituel.

Elle nous rappelle de toute évidence que ce corps ne se limite pas au physique, au monde des sens. Il est bel et bien le temple de Dieu, celui-ci n'étant pas cette figure lointaine que nous ne pouvons pas atteindre, mais notre essence même qui vit en notre cœur.

Ce Dieu vivant, cette lumière pure, cet amour sans limites nous est dévoilé grâce à ses témoignages et à ceux de ses élèves.

J'ai moi-même ressenti toute la force et la douceur de cette énergie lorsque, au cours de mon initiation, une rivière blanche et douce s'est mise à couler le long de mon corps, m'a enveloppé et a pénétré dans tout mon être. C'est dans cette même douceur que j'ai vécu cette expérience : ma colonne s'est ouverte en un point précis, laissant s'échapper un liquide noir formé d'impuretés mentales et physiques, me dégageant aussi de nombreuses difficultés. À la fin de cette initiation, pour ainsi dire clore ma renaissance, j'ai vu mon corps physique actuel me quitter et se noyer en un océan alors qu'émergeait de la mer un autre corps tout vêtu de blanc. À un moment de cette transformation où il m'était difficile de laisser partir ce vieux corps, une voie est venue me rassurer et m'a permis de franchir aisément l'étape.

Je remercie Élizabeth non seulement de m'avoir donné cette possibilité de m'autoguérir, mais aussi de nous offrir, par ses mots, une plus grande compréhension de cet art de guérison spirituelle, le «Reiki» et, par le fait même, d'éliminer de nos cœurs toute peur de cette énergie bienfaitrice qui est notre essence propre.

Nul doute que, tout comme moi, vous voudrez connaître ce jardin d'infini qui parcourt vos corps et se transmet par vos mains pour votre bien-être mental, physique et spirituel.

Vandana Gillain

INTRODUCTION

J'ai écrit ce livre d'abord pour répondre à vos questions, puis pour partager avec vous les événements qui se produisent lors des initiations au Reiki, événements qui nous dévoilent chaque fois la force et la beauté du monde. Nous contemplerons ensemble les mystères et les accomplissements de cette extraordinaire Énergie. Tout un monde subtil nous appartient si nous décidons d'en prendre conscience et de nous y unir. Ce monde subtil est notre héritage cosmique. Pour y accéder, nous avons seulement à ouvrir nos cœurs. Pourquoi avoir si peur? En lisant ce livre, vous serez totalement rassuré sur ce monde invisible, car vous découvrirez combien cette énergie est bienfaisante et combien ce monde est peuplé d'êtres remplis d'amour inconditionnel et merveilleux, «nos guides spirituels». L'évolution spirituelle est la seule voie possible pour comprendre la raison pour laquelle on est venu sur terre et pour devenir réellement heureux.

Dr Mikao Usui

Dr Chijiro Hayashi

Hawayo Takata

L'HISTOIRE DU REIKI

Le Reiki est une invitation à un banquet d'énergie divine, énergie qui nourrit notre cœur, notre esprit et notre âme. C'est aussi un enseignement à l'amour inconditionnel, à la gratitude et au pardon, ces trois thèmes étant reliés étroitement à la santé mentale, physique et spirituelle de chaque être. Le Reiki est pour moi une des plus profondes démarches spirituelles à laquelle nous pouvons aspirer!

Le Reiki est une méthode séculaire et sacrée utilisée pour équilibrer et harmoniser le corps physiquement, l'esprit mentalement et l'âme spirituellement. Les anciens textes sacrés bouddhistes et tibétains qui ont inspiré cette méthode datent de plus de 2500 ans.

Un moine chrétien, Mikao Usui, redécouvrit le système Reiki au milieu du XIXe siècle. L'histoire de ce grand événement fut maintes fois reprise par le grand maître Hawayo Takata (1900-1980).

Dr Mikao Usui était le doyen du séminaire chrétien de Kyoto, au Japon. Un jour, ses étudiants lui demandèrent comment Jésus procédait lorsqu'il guérissait les gens et s'il lui était possible de le leur démontrer. Dr Usui ne put leur donner une réponse.

Bouleversé, il décida de trouver la réponse. De là débuta sa quête. Il partit étudier l'histoire de la chrétienté dans un pays chrétien, espérant y trouver là réponses aux questions de ses étudiants. Il vint aux États-Unis où il obtint un doctorat en théologie de l'Université de Chicago. Il n'y trouva, hélas!, aucune réponse concernant les guérisons miraculeuses que Jésus prodiguaient décrites dans les livres chrétiens. Il décida alors d'étudier des manuscrits chinois. Il n'y trouva non plus aucun résultat à ses recherches. Il alla en Inde où il se pencha sur les textes sanskrits. Il pouvait lire le japonais, le chinois, l'anglais et le sanskrit.

Il découvrit plus tard, au Japon, dans des anciens sûtras bouddhistes, des formules sanskrites et des symboles. Il croyait avoir enfin trouver ses réponses!

Il partit donc pour la Montagne Sacrée de Kuriyama, où il médita et jeûna seul pendant vingt et un jours dans l'espoir d'atteindre le niveau de conscience qu'il avait découvert dans les formules sanskrites.

Il est écrit dans tous les livres de Reiki que le Dr Mikao Usui plaça vingt et une pierres en face de lui afin de compter les jours de son jeûne. Chaque fin de journée, il enlevait une pierre. Il profita de son temps sur la montagne pour chanter, méditer et relire les sûtras. Aucune expérience spirituelle ne s'est produite durant les vingt premiers jours de son jeûne. Mais, le vingt et unième, une lumière brillante se diriga vers lui à grande vitesse. Elle s'agrandit jusqu'à ce qu'elle se percuta au milieu de son front. Il vit alors des millions de petites bulles bleues, lilas, roses et de toutes les couleurs de l'arc-en-ciel. À l'intérieur d'une grande lumière blanche, brillant d'une couleur dorée, il vit appaître devant lui les symboles sanskrits.

Lorsqu'il descendit la montagne, il avait atteint un état d'esprit élevé, possédait un sentiment de force et était rempli d'une énergie nouvelle. Dans sa hâte, il se frappa le pied sur un rocher et tomba. Instinctivement, il prit son pied dans ses mains et, après quelques minutes, le saignement et la douleur disparurent. Le premier miracle venait de s'accomplir.

Comme il avait très faim, il s'arrêta pour manger. Il commanda un copieux repas. L'aubergiste l'avertit des dangers de manger un si gros repas après un jeûne aussi long, mais Usui fut capable de tout manger sans effets néfastes. Le deuxième miracle venait de s'accomplir.

Depuis longtemps, la petite-fille de l'aubergiste souffrait d'un mal de dents. Il imposa les mains sur le visage enflé de la pauvre petite : elle se sentit aussitôt mieux. Elle annonça alors à son grand-père que cet homme n'était pas un moine ordinaire. C'était le troisième miracle.

Après quelque temps au monastère, le Dr Mikao Usui décida de se rendre dans le quartier pauvre de Kyoto pour aider les malades et les mendiants à vivre une meileure vie. Il resta plus de sept ans dans un hôpital où il traita plusieurs maladies. Un jour, il se rendit compte que ces gens qu'il avait aidés revenaient se faire soigner. Il leur demanda alors pourquoi ils n'avaient pas profité de la nouvelle chance qui leur avait été donnée. On lui répondit : «Il est trop difficile de travailler, nous préférons continuer à mendier.» Attristé par cette découverte, le Dr Mikao Usui se rendit compte qu'il avait oublié d'enseigner à ces mendiants une valeur très importante : «la gratitude». Voilà pourquoi il a composé pour nous les maximes suivantes pour accompagner notre pratique du Reiki :

Aujourd'hui, ne te fais pas de soucis.
Aujourd'hui, ne t'irrite pas.
Honore tes parents, maîtres et aïeux.
Gagne ta vie honnêtement.
Sois reconnaissant envers tout ce qui vit.

Dr Mikao Usui

Avant de mourir, le Dr Mikao Usui a initié le second grand maître Reiki, le Dr Chijiro Hayashi. Celui-ci ouvrit la première clinique privée de Reiki à Tokio. C'est à cette clinique que madame Hawayo Takata fut traitée et qu'elle étudia cette méthode de guérison holistique. En 1938, Chijiro Hayashi promut madame Takata grand maître Reiki pour lui succéder. Elle a pratiqué le Reiki à Hawaï pendant de nombreuses années. À l'âge de soixante-quatorze ans, elle décida de former des maîtres Reiki. Quand elle mourut, en 1980, elle nous laissa vingt et un maîtres Reiki pour continuer cette grande œuvre. Ces maîtres se sont divisés entre le Canada et les États-Unis, et tous les maîtres actuels en sont les descendants.

LES INITIATIONS AU REIKI

Lors des initiations au Reiki, les chakras ou centres énergétiques sont alignés et finement ajustés. Durant ces initiations, le maître Reiki transmet les symboles sacrés et puissants qui permettent aux participants d'améliorer leur vie et celle de leurs proches.

Voici quelques bienfaits du Reiki : Il suscite premièrement une détente qui vous amène à un état de méditation profonde. Le Reiki est donc excellent contre le stress et la fatigue. Il stimule un processus naturel de purification par lequel les blocages physiques et psychologiques peuvent être dissous. Il peut être utilisé pour favoriser le bien-être général ou comme complément à des approches traditionnelles ou alternatives de la santé. Le Reiki calme l'esprit et clarifie les pensées. Il nous aide à mieux comprendre le processus de compréhension intérieure et stimule la croissance personnelle, nous ouvrant ainsi à notre sagesse et à notre paix intérieure.

Au premier niveau, l'élève reçoit quatre fois la transmission d'énergie, ce qui ouvre de façon permanente le canal par lequel le flux puissant du Reiki traverse le corps de la personne initiée. À ce niveau, on vous enseigne la technique d'imposition des mains et de la diffusion de la Force de vie universelle à vous-même ainsi qu'aux autres.

Au deuxième niveau, le processus est renforcé grâce à deux autres initiations. Vous recevez aussi vos trois premiers symboles sacrés. Votre canal devient donc plus puissant. De plus, on vous enseigne la façon de transmettre à distance le Reiki ainsi que le Reiki de situation.

Les troisième et quatrième niveaux sont ceux des maîtres. Les élèves y reçoivent leurs symboles de maîtres, ce qui leur permet d'initier d'autres personnes. J'ai découvert qu'il y avait deux sortes de maîtres au Reiki : les maîtres enseignants et les maîtres guérisseurs. Bien sûr, les deux peuvent initier et faire le travail de guérison. Mais il semble que certains maîtres sont plus appelés à faire de la guérison, et j'en connais qui sont tout à fait extraordinaires. J'ai découvert aussi que plusieurs thérapeutes utilisent le Reiki dans leur démarche, car celui-ci facilite la voie et leurs résultats.

Pouvez-vous imaginer l'harmonie et la paix qui existeraient sur cette terre si au moins une personne par famille se faisait initier au Reiki!

COMMENT SE PRÉPARE-T-ON À L'INITIATION?

Quelques jours avant l'initiation, je vous conseille de méditer et d'éviter de manger de la viande rouge. Cela ne veut pas dire que vous devez devenir végétarien. Il s'agit seulement d'élever les vibrations avant de recevoir l'initiation. Le matin de l'initiation, vous devez prendre une douche, vous laver les cheveux et, pendant ce temps, visualiser une lumière violette et ensuite blanche qui tombe sur vous, qui nettoie votre for intérieur, votre extérieur et votre aura. Mangez un déjeuner léger. Donnez-vous tout le temps de bien vivre vos initiations en ne prenant aucun engagement cette journée-là.

COMMENT S'HABILLE-T-ON LE JOUR DE L'INITIATION?

On doit porter des vêtements très simples, confortables, de couleur blanche ou pastel. Il est préférable de ne pas porter de vêtements noirs ou serrés. Les femmes doivent éviter de mettre des produits, des barrettes et autres ornements dans les cheveux. Les hommes doivent éviter de porter des ceintures décorées de métal et des bijoux.

POURQUOI CHOISIT-ON LA VOIE DU REIKI?

Voilà comment cela s'est présenté pour moi. Depuis déjà plusieurs années, je me demandais pourquoi j'étais née, quel était le but de cette vie? Je me disais que la vie ne pouvait être que se lever, manger, s'éduquer, se marier, avoir des enfants, puis vieillir et mourir. On se pose tous des questions à une étape ou à l'autre de notre vie, et j'avais la certitude qu'il existait autre chose, quelque chose de plus grand. À l'intérieur de moi, je ressentais un grand vide, une solitude insupportable. Sur le chemin de la vie, j'ai rencontré plusieurs problèmes qui m'ont permis de grandir. À chaque pas, je voyais que la lumière au bout du tunnel se rapprochait de moi rapidement. J'ai compris que, grâce à l'amour que je ressentais envers mon divin créateur, je n'avais jamais vraiment été seule. Ainsi une journée, il me vint à l'idée de faire une prière, que je vais vous faire partager maintenant. «Mon Dieu, enlève de mon chemin tout ce qui m'empêche d'avancer dans mon évolution spirituelle.» À ce moment-là, je dirigeais une galerie d'art visionnaire. Les coûts d'exploitation de cette galerie étaient très lourds et tout l'investissement avait été utilisé. Cette galerie était connue dans le monde entier et je recevais des curriculum vitae des meilleurs peintres qui œuvraient dans ce domaine. Je me croyais tout à fait sur la bonne voie. Deux semaines après avoir fait cette prière, un feu ravagea l'immeuble où était située la galerie. Mais, malgré mon malheur, je fus témoin de ce que l'on peut appeler un miracle, car Annie, Marie-Diane et moi avons eu l'idée d'envelopper la galerie d'art dans une bulle de lumière blanche de protection divine. Imaginez-vous la surprise que nous avons eue lorsque nous avons constaté que tout avait été détruit aux étages supérieurs, à côté, en arrière et en dessous de nous, et que la galerie ainsi que toutes les toiles qui y étaient exposées n'avaient pas été touchées! J'ai beaucoup contemplé cette prière, et je me suis rendu compte qu'il fallait être prudent dans la façon de demander au Divin de nous guider.

C'est à la suite de cette prière et dans cette même galerie que j'ai rencontré celle qui devait être mon maître Reiki. Elle apparaissait, comme par hasard, chaque fois que je ne me sentais pas bien, et cela s'est produit trois fois. La dernière fois qu'elle est venue, c'était la fin de semaine qui précédait le feu. Et c'est là que j'ai compris que je deviendrais maître Reiki. À partir de ce moment, j'ai entrepris toutes les démarches et vécu les différents niveaux des initiations. J'ai compris, en suivant le premier niveau, qu'il existait un monde subtil et que j'étais en train d'en prendre conscience. L'ouverture au niveau du chakra de la couronne était tellement tangible que je n'en revenais pas; celle au niveau des mains m'impressionna beaucoup, non seulement à cause de l'ouverture qui s'y produisit, mais aussi à cause de la chaleur et de l'énergie qui en émanaient. À partir de ce jour, je me suis donné du Reiki et j'ai doucement vu ma vie se transformer. Mes amis changèrent, mes intérêts n'étaient plus les mêmes, j'ai changé de travail. La nature n'était plus la même pour moi : j'y trouvais beaucoup plus de beauté, je ressentais beaucoup de respect, d'amour et de gratitude envers les saisons. Je comprenais que chaque saison a un but, une raison d'être, la pluie même devenait pour moi une occasion joyeuse. J'étais consciente du besoin de l'homme d'avoir de l'eau potable pour sa survie et la nature pour ses récoltes. J'ai ressenti une grande compassion pour les êtres qui croisaient mon chemin et, avec un cœur rempli de gratitude, je poursuis chaque jour mon chemin spirituel.

Au deuxième niveau, j'ai reçu mes trois premiers symboles sacrés et j'étais très heureuse. Je les ai vite appris par cœur, car je savais que pour devenir un maître, je devais tous les connaître par cœur. J'ai remarqué que lorsque je me donnais du Reiki en ajoutant les symboles sacrés, l'énergie était plus forte; je trouvais cela fascinant car, avant d'être initié au Reiki, je n'avais aucune notion de ce que pouvait être l'énergie.

Au troisième niveau, j'ai reçu mon symbole de maître ainsi que l'enseignement et la technique d'initiation des premier et deuxième niveaux.

Lorsque j'ai été reçue maître au quatrième niveau, j'ai vécu une expérience spéciale : à la fin de l'initiation, une étoile de David de couleur bleue s'est dirigée vers mon troisième œil et y est entrée.

C'était la première fois que j'avais une vision. Plusieurs mois se sont passés avant que je comprenne ce que voulait dire cette fameuse étoile. Dans un livre américain, *Reiki, the Healing Touch, First and Second Degree Manual*, de William L. Rand, il y avait le logo du Reiki et, exactement au centre de ce logo, se trouvait la croix de David. Cela m'a beaucoup émue, car cette croix représente l'union entre Dieu et l'homme.

LOGO DU REIKI

Le kanji japonais, au centre du logo, veut dire «Reiki, l'énergie de la force de vie» spirituellement guidée. Le triangle qui pointe vers le haut représente l'humanité se dirigeant vers Dieu. Le triangle qui pointe vers le bas représente Dieu se dirigeant vers l'humanité. Comme ces deux triangles sont réunis et équilibrés, ils représentent l'humanité et Dieu travaillant ensemble en harmonie. La fleur à seize pétales, située à l'intérieur du logo, symbolise le chakra de la gorge ou la communication. La fleur à douze pétales, située à l'extérieur du logo, symbolise le chakra du cœur ou l'amour. Le logo au complet représente le Reiki unissant Dieu et l'humanité en harmonie dans la communication de l'amour.

Lorsque j'ai initié une personne pour la première fois, j'ai été très surprise de l'état dans lequel je devenais durant l'initiation. Je me sentais entourée de lumière et je flottais. J'ai trouvé cela émouvant et j'ai demandé à mon amie comment elle se sentait. Elle aussi se sentait très bien et, de plus, avait vu trois personnes dans la pièce durant l'initiation. Elle les a décrites comme étant le Dr Mikao Usui, madame Takata et le Dr Chijiro Hayashi. Elle disait qu'ils me regardaient les bras croisés et souriaient. Une chance que je ne savais pas cela pendant que je l'initiais, car cela m'aurait intimidée! J'ai vécu plusieurs moments précieux lors d'initiations. Je vais vous faire partager ceux qui m'ont le plus impressionnée.

Alors que mes enfants étaient jeunes, j'étais tombée malade une fin de semaine de Pâques et l'hôpital exigeait que je reste en observation quelques jours. Je ne savais que faire, car il me fallait quelqu'un pour garder mes enfants. Une amie s'est alors offerte généreusement pour s'occuper des enfants et, grâce à elle, j'ai pu rester à l'hôpital sans inquiétude. Plusieurs années se sont passées avant que je revoie cette fille et lorsque je l'ai revue, c'était à son tour d'avoir besoin de moi. Comme il n'y a pas de hasard, cette fois c'est moi qui ai pu l'aider grâce au Reiki. Je l'ai donc initiée au premier niveau et, durant l'initiation, j'ai ressenti une présence. Pour ne pas la surprendre, je lui dis doucement : «Il y a quelqu'un avec nous.» Elle me répondit : «Je sais.» Lorsque je lui demandai qui était là, elle me répondit : «C'est Dieu.» Jésus était venu la bénir. Je l'ai vu dans son corps de lumière venir vers moi et entrer en moi. Il était comme à l'intérieur de moi et la regardait par mes yeux. Quelle sensation! Quelle joie! Je n'avais jamais expérimenté une chose pareille. Quel était ce mystère? Je m'étais souvent demandé si c'était vrai que certaines personnes pouvaient «canaliser» des êtres de lumière. Est-ce que je venais de vivre une telle manifestation? Cet événement venait de remettre en question toutes mes croyances. Je venais de m'ouvrir à quelque chose de merveilleux! Aurais-je encore la joie de vivre de telles expériences?

Un autre moment divin pour moi fut lors de l'initiation de mon premier maître Reiki (troisième niveau). Elle était venue chez moi pour l'initiation. Une dame extraordinaire! L'initiation s'est bien passée jusqu'au moment de la fin, où j'ai vu son corps de lumière se lever et entrer en moi. Nous avons fusionné! Quand fut venu le temps de son quatrième niveau, j'avoue que j'avais hâte. Cette fois, je suis allée chez elle. Elle habite à la campagne et toute la nature nous accompagnait durant l'événement. Il y eut les méditations et les initiations d'usage, et quand tout fut terminé, je suis allée m'asseoir sur le balcon. Ce que j'entendis alors était tout à fait incroyable : les criquets, les insectes et les oiseaux de la place nous donnaient un concert. C'était extraordinaire. Ils chantaient tellement fort, je n'avais jamais entendu cela et tous ceux qui étaient là n'en revenaient pas. Ce concert a duré une quinzaine de minutes. Pendant tout ce temps, mon élève méditait. Elle était profondément partie dans sa méditation. Lorsque je lui ai demandé de reprendre conscience de la pièce et de son corps, elle m'a dit avoir vécu un état de conscience supérieur à tous les autres. Jamais elle n'avait expérimenté cela dans sa vie. Elle venait de vivre la plénitude. Elle était très émue! Je crois que le Divin s'est manifesté cette journée-là, c'était Sa façon d'accueillir ce nouveau maître!

Laissez-moi vous faire partager une dernière expérience. Un groupe de femmes m'ont invitée chez elles pour les initier au Reiki. Elles habitaient dans l'Outaouais. Encore une fois, quelles personnes extraordinaires! Elles étaient quatre et j'ai habité chez l'une d'elles, car il me fallait deux jours pour toutes les initier. Nous avons décidé de faire la cérémonie à l'extérieur, c'était une superbe journée ensoleillée, pouquoi ne pas en profiter? Nous avons médité quelques instants et j'ai demandé aux maringouins de ne pas nous déranger et à la nature de nous accompagner durant les initiations. Croyez-le ou non, les marigouins ne nous ont pas piquées, les oiseaux et les écureuils ne chantaient pas durant les initiations... mais dès que j'ai terminé, la fête a recommencé! Les oiseaux et les écureuils se tenaient très près de nous, nous pouvions les voir à l'occasion, ils n'avaient aucune crainte de notre présence. Chaque fois que je changeais de personne, le vent nous enveloppait comme si nous étions dans une bulle de lumière blanche! Le dernier événement marquant de cette fin de semaine fut lorsqu'une des dames a demandé que l'on aide son mari à se diriger vers la Lumière. Il était décédé depuis au moins huit mois. Elle tenait à sa présence et ne voulait pas qu'il la quitte. Grâce au Reiki, elle décida cette fin de semaine-là de le libérer. Nous étions trois pour accomplir cette mission et je pouvais voir dans le coin de mon œil droit, attendant dans une bulle de lumière blanche, son mari. Il était prêt à partir, sa femme lui a fait ses adieux et je l'ai vu s'élever doucement. Nous avons ressenti beaucoup d'amour et de chagrin durant la séparation, c'était très puissant. Nous ressentions la douleur de ce détachement même dans notre corps physique! Ce fut un moment très émouvant et éprouvant, mais nous savons maintenant que cette dame peut poursuivre son chemin toute seule et recommencer sa vie!

Comme vous pouvez le constater, le Reiki a plusieurs fonctions et nous vient en aide à tous les niveaux.

COMMENT SAVOIR SI LE REIKI EST NOTRE VOIE?

Une bonne façon de savoir si le Reiki est notre voie, c'est de se demander pourquoi on voudrait être initié au Reiki, puis d'attendre la réponse. Pour plusieurs personnes, suivre les cours de Reiki constitue une démarche personnelle d'autoguérison, pour d'autres, c'est parce qu'elles souffraient physiquement, spirituellement ou mentalement. Certaines reconnaissaient en elles-mêmes des dons de guérison et cherchaient un moyen de les partager et de les utiliser avec les autres. Les thérapeutes recherchent dans le Reiki une protection; pour d'autres, le Reiki est une voie spirituelle profonde à laquelle elles aspirent. Que ce soit pour l'une ou l'autre de ces raisons, le Reiki comble toutes nos aspirations.

COMMENT CHOISIT-ON SON MAÎTRE REIKI?

Lorsqu'on choisit un maître Reiki, on doit vraiment suivre son intuition. On peut en entendre parler par des amis ou encore lire une annonce dans une revue spécialisée ou dans les journaux. Ce sera parfois la photo que vous reconnaîtrez ou bien une phrase qui vous touchera. Il faut comprendre que, lorsqu'on est prêt, on rencontre toujours la personne qui deviendra notre maître Reiki. Il ne faut jamais forcer les choses. Il est préférable de suivre doucement l'énergie. Elle nous guidera toujours au maître, au bon moment. Nous réalisons que nous avons trouvé notre maître lorsque nous ressentons des liens avec lui et aussi lorsque, auprès de lui, nous n'avons pas peur de nous abandonner; nous avons l'impression, après avoir discuté quelques minutes avec cette personne, de l'avoir toujours connue. Vous vous sentirez en parfaite harmonie avec cet être. Ce sera très clair dans votre cœur!

LES SYMBOLES CALLIGRAPHIQUES PAR MADAME IRIS ISHIKURO

Dans les documents de l'*Américan Reiki Master Association*, il est écrit : «Les symboles sont utilisés aussi pour augmenter le bonheur, favoriser l'efficacité des médicaments, faire parvenir des prières, guérir et aider dans notre évolution.»

Le symbole que je vous présente ici est un exemple idéal : «Il peut être de n'importe quelle grandeur et être suspendu n'importe où. Il apporte la paix, la protection, l'équilibre, le succès, le pouvoir et la droiture.»

Madame Iris Ishikuro

LES CHAKRAS CARACTÉRISTIQUES ET FONCTIONS

Depuis des millénaires, les grands Sages de l'Orient nous ont révélé que le corps humain n'était pas seulement un corps physique, mais qu'il était aussi composé d'une autre réalité appelée le corps subtil. C'est à ce niveau que se trouve la force de vie, l'énergie vitale qui maintient l'existence du corps physique. C'est dans ce corps que sont emmagasinées toutes nos émotions, nos habitudes diverses, nos idées, nos croyances, nos impressions des vies passées. Le corps subtil est également la demeure de l'esprit et du subconscient. Nous conservons donc à l'intérieur de nous un bagage d'informations passées, ou même hors date, qui viennent influencer toutes nos actions présentes. Il n'est donc pas étonnant que les médecines de l'Orient aient basé leur processus de guérison sur un travail de purification et d'harmonisation au niveau des courants énergétiques formant les différentes couches du corps subtil. C'est également à ce niveau que travaille le Reiki.

Beaucoup de gens me demandaient ce qu'étaient des chakras. Voilà pourquoi j'ai décidé d'écrire sur le sujet. Comme le Reiki est basé sur l'harmonisation de ces centres énergétiques, je pense qu'il est important d'expliquer leur emplacement et leur fonctionnement dans notre corps.

Tout notre corps subtil est parcouru de milliers de canaux d'énergies convergeant en différents centres circulaires lumineux appelés «chakras», terme sanskrit qui veut dire roue.

Ces différents chakras sont reliés à un fin canal d'énergie qui suit la colonne vertébrale du corps physique. À chacun des chakras correspond une partie du corps, un ou des organes en particulier. Le chakra apporte l'énergie nécessaire à leur bon fonctionnement.

Au niveau subtil, chaque chakra travaille avec différents plans d'énergie, dont l'ensemble est appelé l'«aura», mot latin qui signifie à la fois léger mouvement d'air, lumière, rayonnement. L'aura est composée de vingt-deux couches qui entourent et interpénètrent le

LES CHAKRAS ET LEURS CARACTÉRISTIQUES

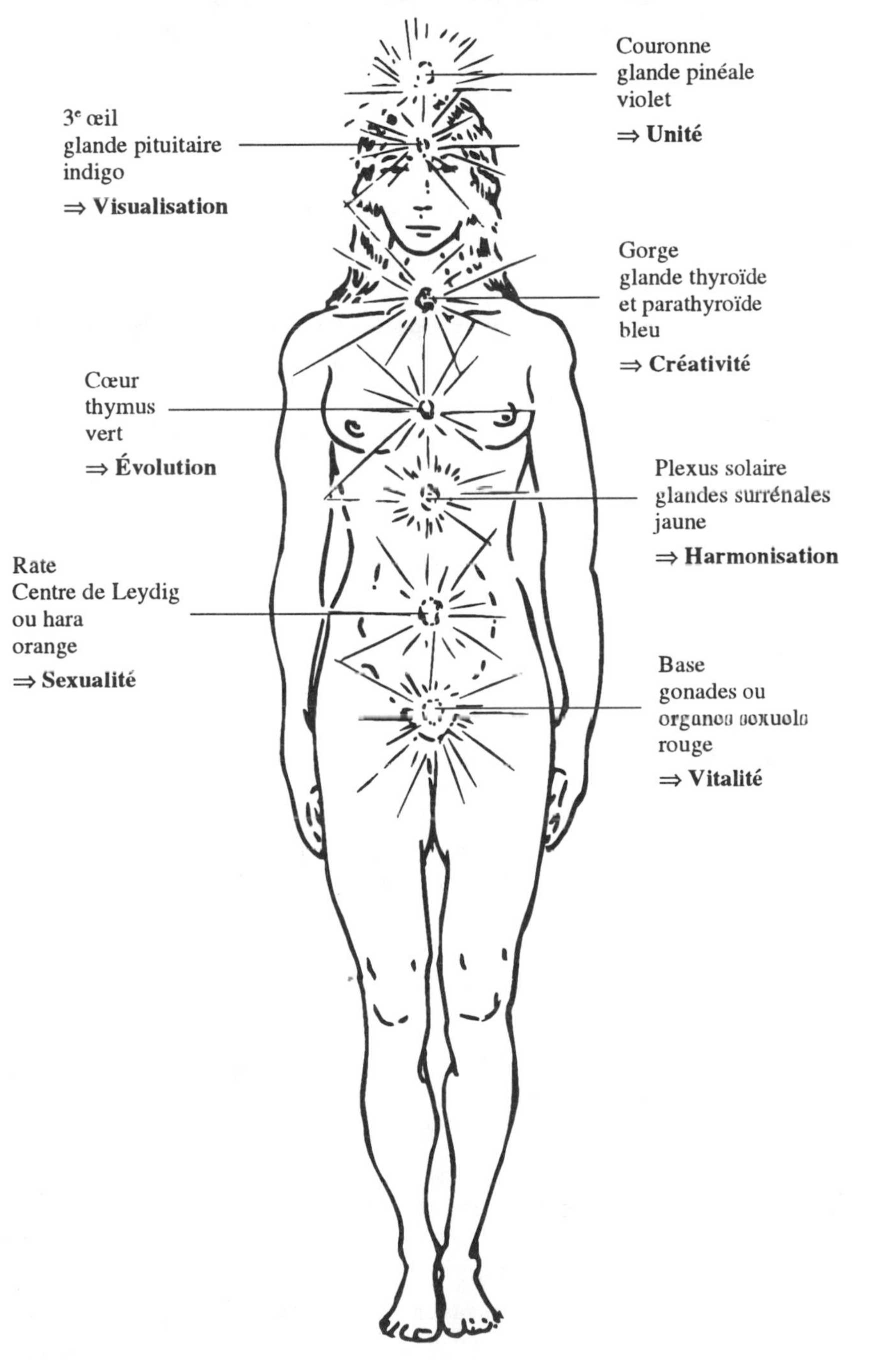

corps physique. Pour ceux qui peuvent la voir, l'aura se présente comme un halo lumineux de différentes couleurs, luminosités et intensités selon les personnes. Puisque l'apparence de l'aura se transforme selon l'état mental, émotif et physique de l'être humain, les médiums peuvent savoir quel chakra travaille trop ou pas assez, quelle énergie est bloquée, et où celle-ci est bloquée. Ils sont ainsi en mesure de rebalancer et de réharmoniser les circuits énergétiques.

Normalement, après une initiation au Reiki, l'énergie circule harmonieusement. On devrait aussi voir distinctement chacune des couleurs des sept premières couches de l'aura. Pour activer l'énergie de nos chakras, nous devons commencer par le chakra de la base et monter vers celui de la couronne. Comme le dit Graf Durckheim, «toute élévation spirituelle véritable implique préalablement une descente au centre de la terre» (*Le hara*, Éditions Centre vital de l'homme, Courrier du livre). Les trois premiers chakras sont en effet reliés au plan physique; le chakra du cœur, soit le quatrième, établit le pont avec le domaine spirituel.

À chaque chakra appartiennent une couleur et une vibration particulière.

Le premier chakra est de couleur rouge et le son correspondant est le do; le deuxième, de couleur orange, le son, ré; le troisième, de couleur jaune, le son, mi; le quatrième, de couleur verte, le son, fa; le cinquième, de couleur bleue, le son, sol; le sixième, de couleur indigo, le son, la; le septième, de couleur violet, le son, si.

Le chakra de la base est celui qui rejoint le sphincter et son point d'appui est le coccyx. C'est le chakra de la créativité; tout notre instinct de survie est relié à ce chakra. Comme ce chakra est celui de notre connection terrestre, on dit des personnes qui ont un blocage à ce niveau qu'elles n'ont pas les pieds sur terre; on dit même qu'elles sont dans les nuages.

Le deuxième chakra est de couleur orange (le splénix). Il est le point d'appui de ce que les Japonais appellent le «hara» et est relié aux organes sexuels, aux gonades et à toutes les glandes situées à ce niveau. Il régit aussi les fonctions des reins. Beaucoup de personnes souffrent d'un déséquilibre au niveau de ce chakra, car elles n'acceptent pas leur sexualité, d'être humain, d'avoir des désirs et des besoins. Ce chakra est le centre de l'intuition. C'est pour cela que, lorsqu'on parle de l'inspiration divine qui monte en nous, on a tendance à dire qu'on la sent dans nos tripes. Si l'on veut différencier ce qui vient de la raison de ce qui vient du hara, il faut se rappeler que l'intuition monte en nous; c'est le premier jet de pensée qui nous vient à l'idée et qui nous émerveille, jusqu'au moment où, une fois les informations reçues, la raison embarque puis descend, car elle doit passer par la gorge pour s'exprimer. Elle est ce petit nuage noir qui est suspendu au-dessus de la pensée et qui vient interférer.

Le troisième chakra, celui du plexus solaire, est de couleur jaune. Il est relié à la conscience pure, on prend conscience de... Le port de vêtements jaunes permet l'éveil de cette conscience. Par exemple, lorsque quelqu'un souffre de problèmes d'estomac et refuse de prendre conscience des difficultés dans sa vie, il se met à ressentir de la douleur à l'intestin et aux organes reliés au plexus solaire. Puisque la personne ne veut pas prendre conscience de ce qui se passe, c'est le corps qui absorbe les difficultés. Le plexus solaire est directement relié au cœur, de couleur verte, et est appelé le pont astral.

Nous venons en effet de passer une étape, de jeter un regard sur les trois premiers niveaux de conscience de l'être humain :

- premier chakra : la créativité, le fait de vivre, d'exister et de procréer;
- deuxième chakra : le hara, l'activation de la création et de l'intuition;
- troisième chakra : la conscience, le plexus solaire.

Nous venons de découvrir le premier moi, le moi physique, le moi basique, l'étape de la survie. En rejoignant le moi basique, nous passons ensuite à l'étape supérieure et commençons à développer le sens du pardon, du partage et de l'équité. L'amour inconditionnel et l'altruisme viennent du cœur. Lorsque le chakra du plexus solaire est bloqué, le cœur l'est également. Le chakra du plexus solaire étant la conscience brute, si cette conscience ne fait pas notre affaire, elle va resurgir au niveau du cœur dans l'espoir d'y être absorbée. Si l'on est incapable de vivre les émotions provoquées par cet état de conscience, les deux chakras seront perturbés. Le cœur est le chakra qui nous relie à notre spiritualité par le physique. C'est le chakra des émotions, de la guérison; c'est le plus important, car tout passe par le cœur. On travaille à ce niveau dans la pratique du Reiki. Le chakra mineur relié au cœur est la paume des mains. Ainsi, quand on étend nos bras pour faire l'imposition des mains, l'énergie entre par la couronne, puis elle descend au niveau du cœur pour remonter dans les bras et ressortir par la paume des mains. Donc, si quelque chose ne fonctionne pas au niveau du cœur, nous allons le ressentir tant sur le plan physique que sur le plan spirituel. Le chakra du cœur est relié aux émotions; une émotion non acceptée, que l'on ne peut exprimer ou que l'on ne peut surmonter, bloque le plexus solaire et bloque aussi la gorge. Le meilleur processus pour éviter qu'une émotion ne bloque le plexus solaire et la gorge, c'est d'exprimer son mécontentement, de l'écrire, de faire un geste pour l'éliminer. S'il est nécessaire de s'exprimer pour éviter le blocage des énergies, cela ne veut pas dire que l'on puisse lancer n'importe quoi sans se préoccuper des conséquences et sans en assumer la responsabilité au niveau du cœur.

Le chakra de la gorge est de couleur bleu ciel. Le bleu est la communication, la gorge est l'outil de la communication. Présentement, nous vivons l'ère du chakra de la gorge. Depuis 1940, la communication a pris beaucoup d'ampleur. Pour activer le centre du chakra de la gorge, il faut apprendre à se connaître, à se pardonner, à s'accepter avec ses forces, ses faiblesses, ses défauts, ses qualités. De cette façon, nous éviterons les blocages à ce niveau. La gorge est un des centres les plus affectés sur lequel nous devons travailler au niveau du Reiki. Le chakra de la gorge est la première étape de la communication. On commence à communiquer verbalement pour en arriver à communiquer spirituellement.

Le chakra du troisième œil, de couleur indigo, est le centre des perceptions extra-sensorielles. Nous y reconnaissons le premier stade de l'altruisme. Nous prenons conscience que nous sommes capable d'aimer tout en restant détaché. L'altruisme de Mère Térésa est un exemple parfait du don total de soi. L'altruisme est une des qualités principales à développer pour activer l'ouverture du troisième œil et en arriver à une obéissance complète à Dieu.

Le chakra de la couronne, de couleur violette ou lavande, est le siège de la communication spirituelle supérieure. C'est le chakra relié aux communications avec notre entité supérieure, nos guides spirituels, et les entités positives qui nous sont destinées pour nous aider dans notre cheminement de vie.

Les trois chakras — gorge, troisième œil et couronne — sont reliés à la spiritualité, à l'expression et à l'accomplissement de soi. Ils vont de pair avec le cœur. Lorsque le cœur est bloqué, tout l'être humain s'en ressent tant aux niveaux inférieur que supérieur. Il est certain que le Reiki travaille plus profondément que le niveau physique : il atteint le niveau des émotions et purifie les couches supérieures éthériques. Comme ce travail s'accomplit à un niveau subtil, les personnes qui reçoivent du Reiki n'en sont pas toujours conscientes physiquement au moment du traitement, mais elles en ressentiront plus tard les bienfaits dans leur corps physique. On peut imaginer le travail du Reiki comme un aimant qui élimine tous les blocages, permettant ainsi à la lumière de mieux circuler. C'est pour cette raison que, dans les jours qui suivent un traitement, une personne peut ressentir en elle l'énergie qui circule. Lorsque que le corps est en forme et que chaque chakra est bien activé, un éveil du feu sacré se produit doucement en nous.

Il est bon de retenir que les sept chakras physiques sont les chakras de l'accomplissement de l'être sur le plan matériel. Lorsque nous sommes en parfaite harmonie avec ces derniers, nous commençons à travailler avec deux autres chakras très importants : un qui nous relie à nos guides spirituels et l'autre qui nous sert d'ancrage à la terre. Il s'agit du huitième chakra, situé six pouces au-dessus de notre tête, et du neuvième chakra, situé à six pouces sous nos pieds. Une bonne technique pour s'ancrer est d'imaginer des racines sortant de nos pieds et descendant dans le centre du Soleil et de la Terre. Grâce à cet exercice, une personne sera non seulement mieux ancrée à la Terre, mais elle pourra aussi y puiser une grande énergie. Ces deux chakras, le huitième et le neuvième, nous amènent à une prise de conscience d'énergies supérieures, car ils sont reliés à deux rayons d'intentions : le rayon d'or, situé au-dessus de notre tête et qui travaille en interaction avec l'énergie positive, avec le Soleil et avec les énergies diurnes; le rayon d'argent, situé au-dessous des

LES CORPS SUBTILS

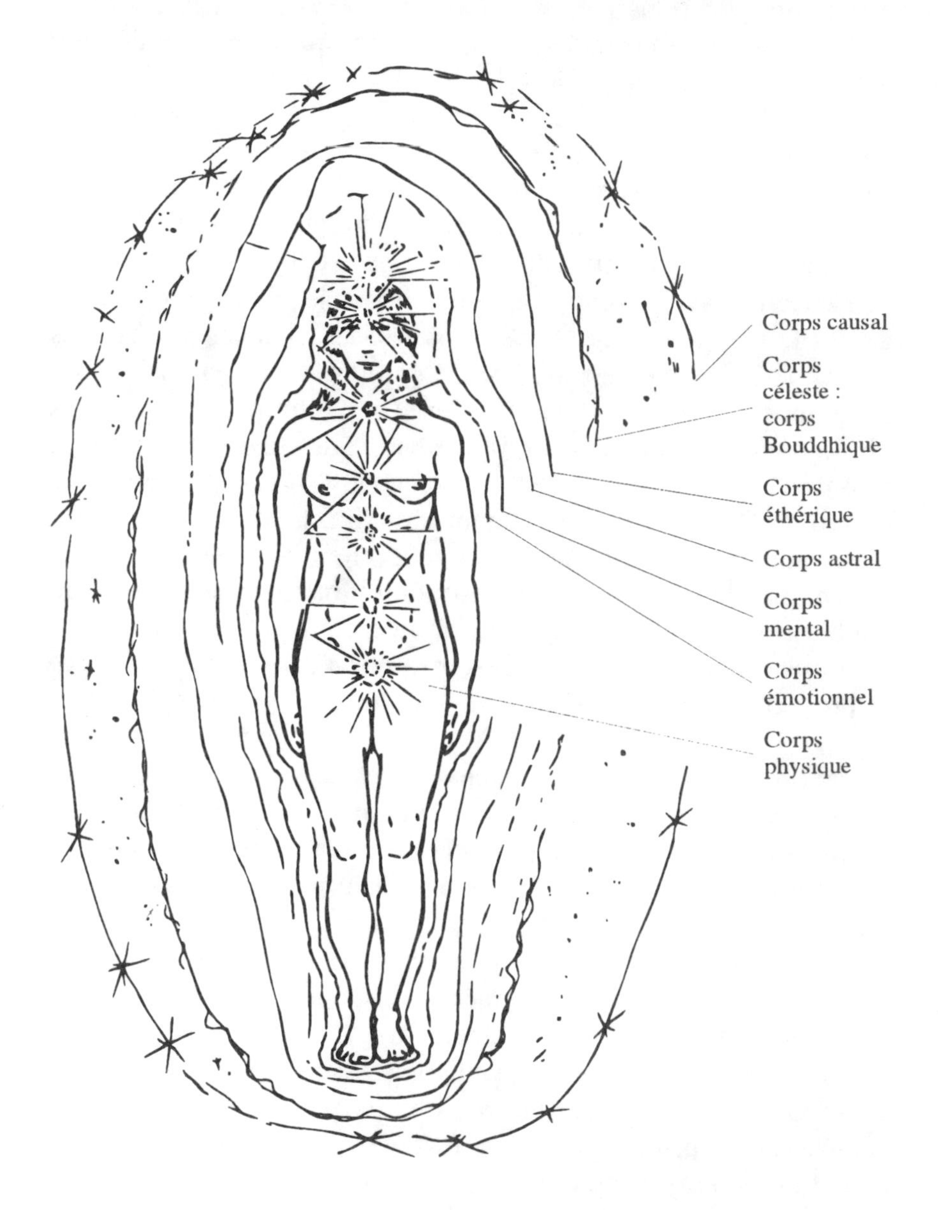

pieds, est relié à l'énergie négative, à la Lune et aux énergies nocturnes. Lorsque nous sommes en harmonie avec nos sept chakras physiques et que nous sommes reliés aux deux chakras supérieurs, automatiquement nous rejoignons le chakra global de l'univers qui, lui, est équilibré dans toute son essence. Nous prenons alors conscience d'un accomplissement supérieur de la création et de toutes ses énergies. Nous sommes enfin en contact avec l'énergie divine en nous.

En résumé, vous constaterez qu'il y a deux chakras reliés au niveau physique : le chakra de la base, ou «kundalini», où l'on puise notre énergie vitale, et le splénix, où l'on puise notre énergie sexuelle. Le plexus solaire et le cœur sont rattachés aux manisfestations du mental, ce que l'on pourrait appeler le niveau de base de la psychologie. C'est là que commence notre travail évolutif. Nous attribuons la créativité à la gorge, et la visualisation au troisième œil, ces chakras étant reliés au niveau intellectuel. Finalement, le chakra de la couronne développe notre niveau spirituel et notre unité avec les mondes subtils. Je crois que ces informations sur les chakras, leurs caractéristiques et leurs fonctions, sauront vous guider vers une meilleure compréhension de leur importance pour votre équilibre spirituel, mental et physique et du rôle essentiel qu'ils tiennent dans l'expression de la pratique du Reiki.

TECHNIQUES DE TRAITEMENTS AU REIKI

Le Reiki est une méthode très simple : il s'agit d'imposer ses mains sur les différents chakras de la personne ou de soi-même pour bénéficier de cette extraordinaire Énergie et de tous ses bienfaits.

Lorsque vous donnez du Reiki à quelqu'un, vous devez le faire avec beaucoup de douceur et de respect. Prenez le temps de dorloter votre patient. Le Reiki, qui nous enseigne le respect et l'amour inconditionnel, doit être donné de cette façon.

N'ayez crainte d'utiliser le Reiki, il peut être utilisé autant de fois que vous le désirez. Plus vous vous en donnerez et en donnerez aux autres, plus vous deviendrez à l'aise avec cette énergie. Vous découvrirez à votre grande surprise que, de plus en plus, vous pouvez deviner les symptômes des personnes qui viendront vers vous pour des traitements.

Après vous être lavé les mains, appelez l'énergie, puis visualisez que vous remplissez de lumière blanche toute la pièce où vous donnez le traitement. Faites votre centrage du cœur. Vous êtes maintenant prêt à commencer. Vous n'avez qu'à suivre les indications dans les pages suivantes.

Quand vous aurez terminé, passez vos mains au-dessus du corps de la personne (à trois reprises) afin de faire le balayage de son aura. Retournez ensuite vous laver les mains.

PRÉPARATION

Prenez le temps de vous intérioriser. Les mains vers le ciel, appelez l'énergie. Vous pouvez utiliser si vous le désirez la prière : «Ô Grande Source de tout ce qui est, je m'offre à toi comme un canal vivant de Ta volonté divine. Fais descendre en moi ton énergie de guérison et que Ta volonté soit faite!»

CENTRAGE DU CŒUR

Pour le centrage du cœur, posez vos mains au milieu de votre poitrine à la hauteur de votre cœur. Vous remarquerez que les deux mains se touchent. Cet exercice a pour but d'éviter que l'énergie du thérapeute et celle du patient ne se mélangent. En pratiquant cet exercice, vous ne ressentirez aucune fatigue durant le traitement.

AUTOTRAITEMENT

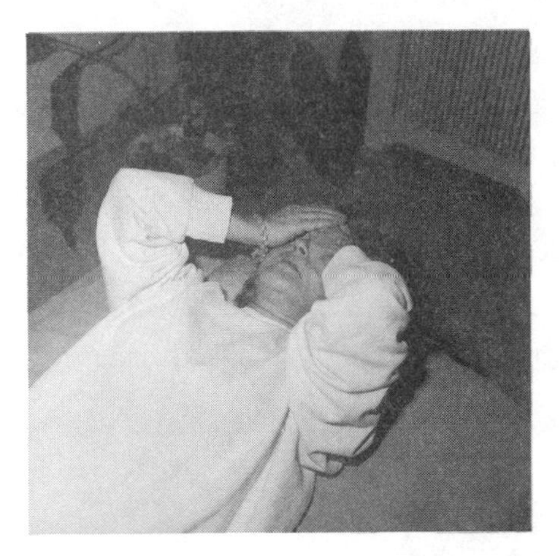

Étendez-vous sur un lit, les yeux bien fermés.

a) Le troisième œil : recouvrez le troisième œil, les yeux et les joues.

b) Les oreilles : posez une main sur chaque oreille.

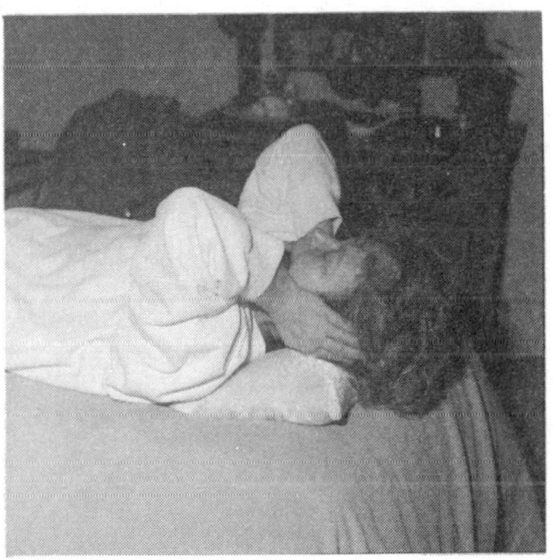

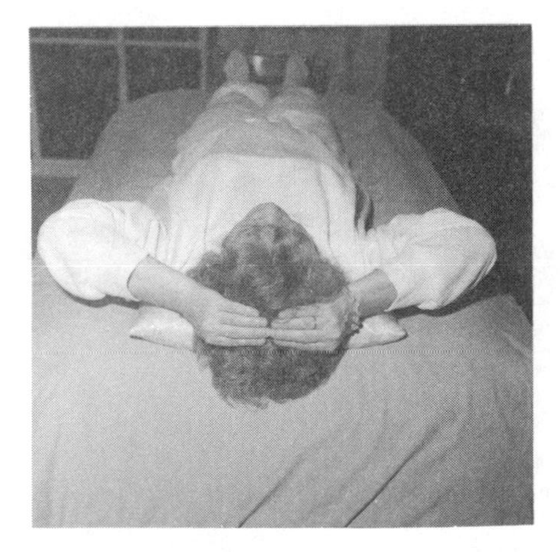

c) La couronne : posez vos deux mains bien collées ensemble et les doigts bien fermés sur le dessus de la tête.

d) La nuque : posez vos mains une par-dessus l'autre, en vous y accotant la tête très confortablement.

e) Le chakra de la gorge : posez une main au niveau de la gorge et l'autre main un peu plus bas, en évitant de faire de la pression sur la glande thyroïde.

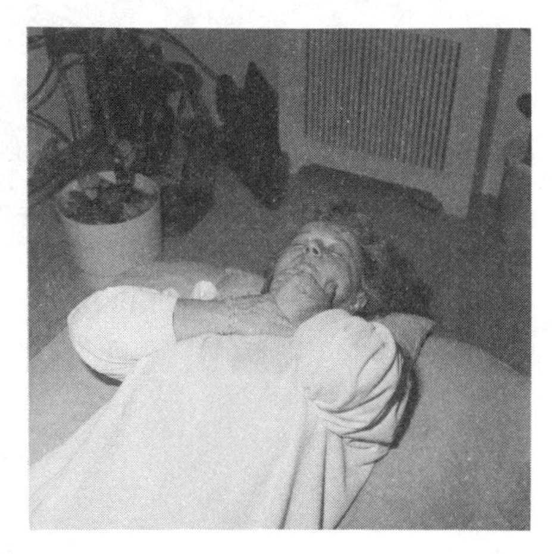

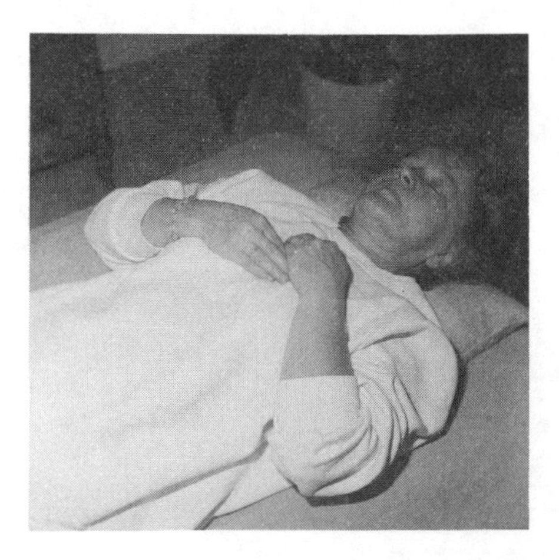

f) Le chakra du cœur : posez une main au-dessus de l'autre à la hauteur de la poitrine.

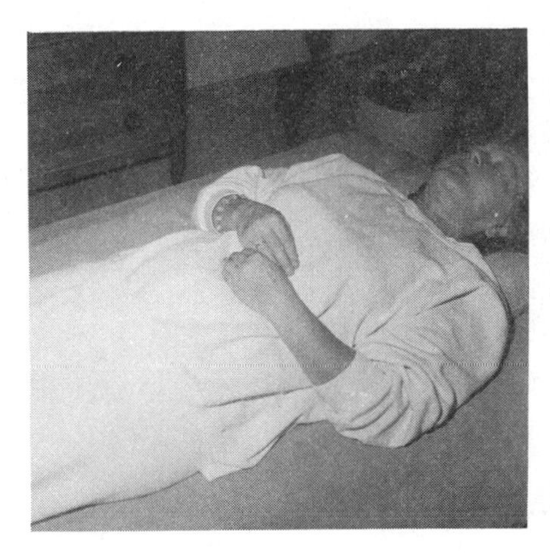

g) Le chakra du plexus solaire : cet endroit est reconnu comme étant la cavité thoracique, posez-y vos deux mains.

h) Le splénix : posez-y vos deux mains.

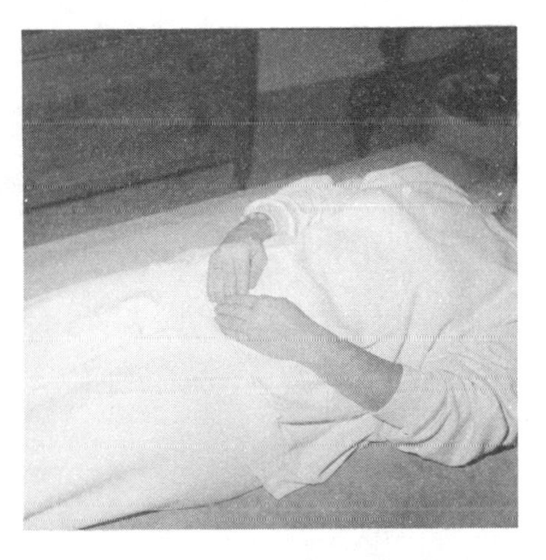

i) Les aines : posez vos mains en forme de V, les index se touchant au niveau du pubis.

En terminant, vous pouvez diriger vos doigts vers les jambes de façon à faire circuler l'énergie jusqu'au bout des orteils. N'oubliez pas que chaque position dure environ trois minutes.

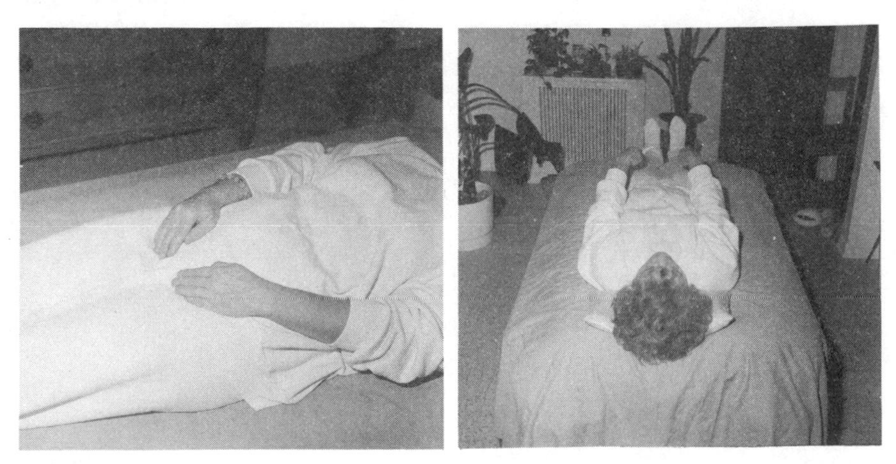

TRAITEMENT À AUTRUI

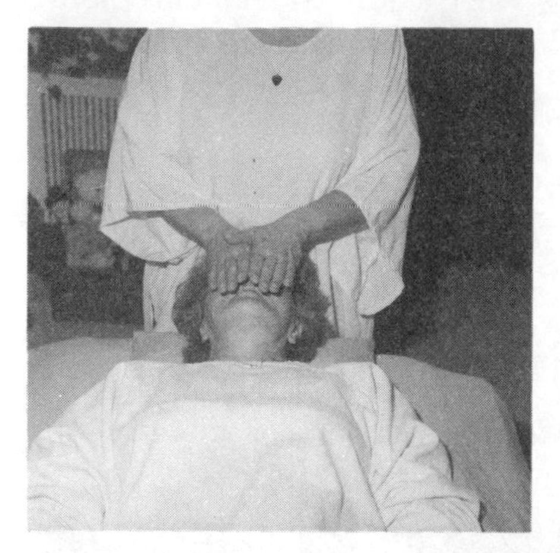

a) Placez-vous derrière le patient et posez vos deux mains collées bien ensemble, les doigts bien serrés. Appuyez-vous légèrement sur le front en prenant bien soin de couvrir les yeux.

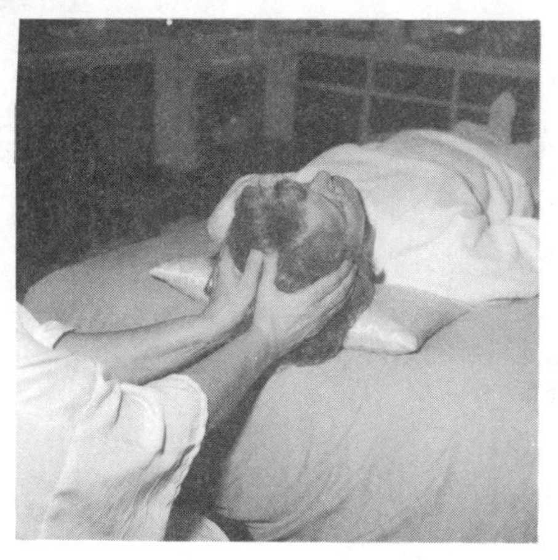

b) La couronne : les mains en forme de V, les deux pouces se touchant, les doigts bien serrés, déposez- les sur la couronne du patient.

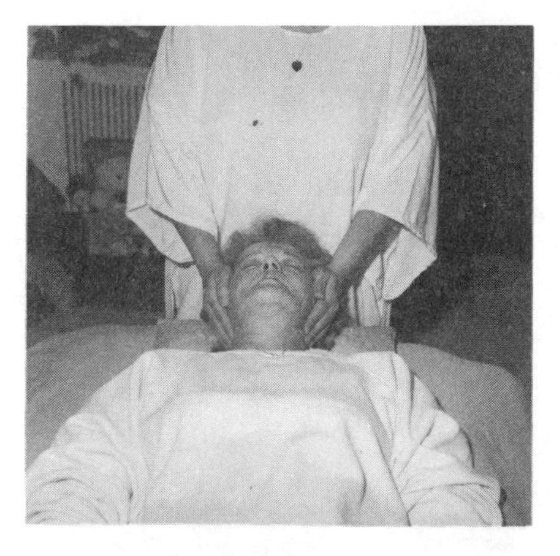

c) Les oreilles : les doigts bien collés ensemble, les mains en forme de coupes, posez-les sur les oreilles.

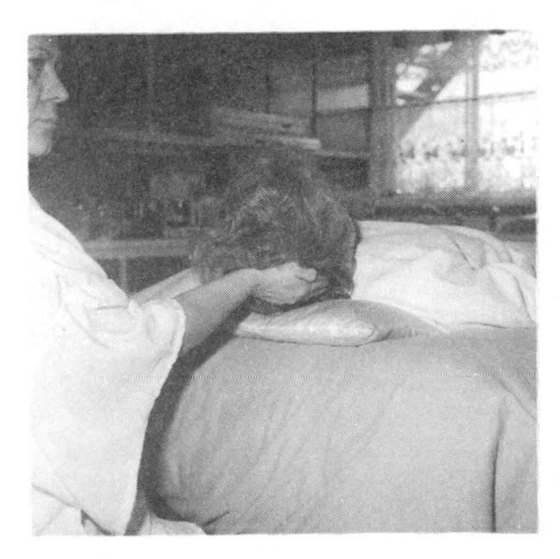

d) Toujours derrière la patiente, glissez délicatement une main sous la tête au niveau de la nuque, pour ensuite y glisser l'autre main. Assurez-vous que la personne est confortable.

e) Le chakra de la gorge : les doigts bien serrés, accotez-vous doucement sur le menton de la patiente, en prenant bien soin de ne pas appuyer sur la glande thyroïde.

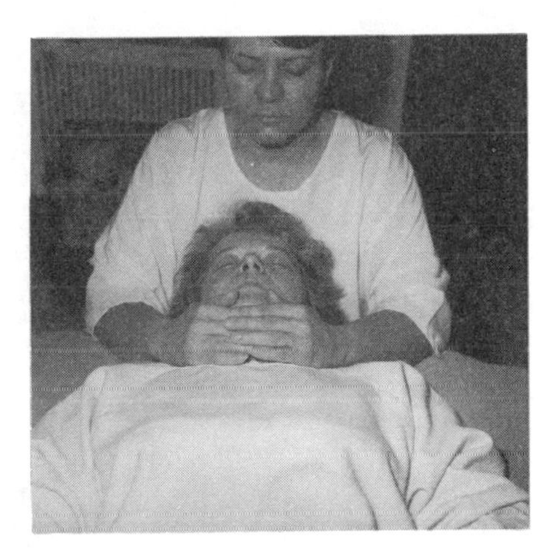

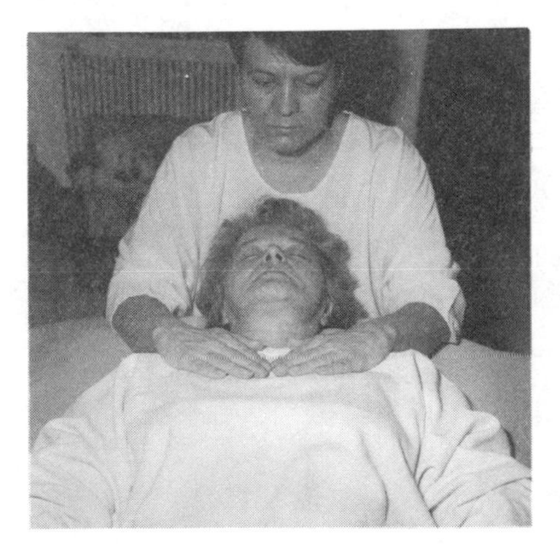

f) Les mains en forme de V, toujours à l'arrière de la patiente, posez vos mains au niveau des bronches de sorte que les index se touchent.

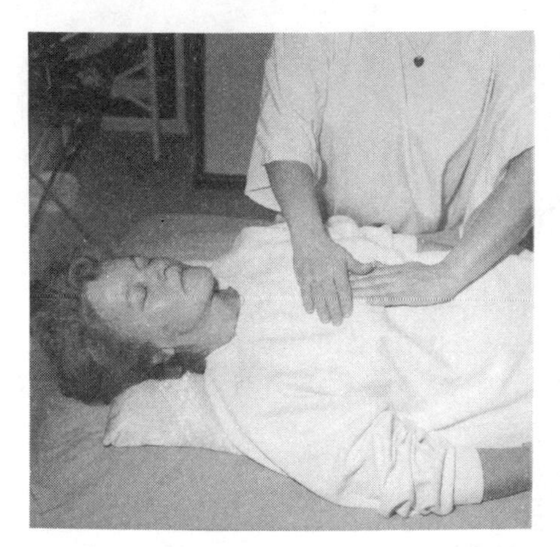

g) Le chakra du cœur : posez la main droite sur la poitrine et la main gauche en dessous, de manière à former une croix sur la région du cœur.

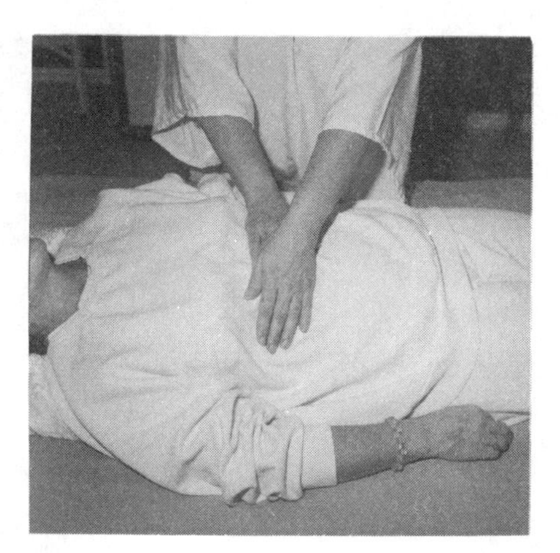

h) Le plexus solaire : une main en arrière de l'autre, couvrez soigneusement le plexus solaire.

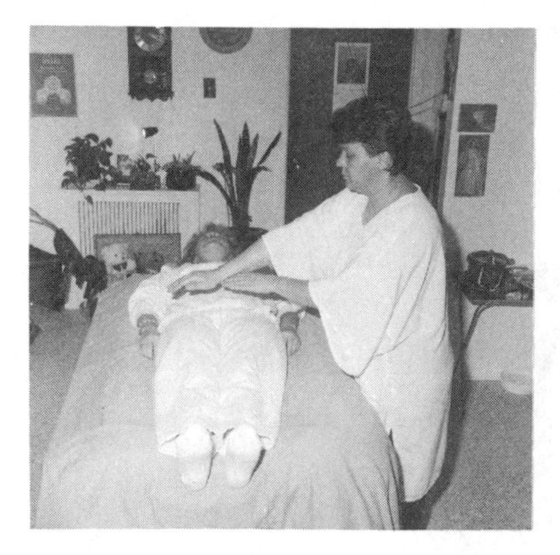

i) Une autre façon de faire les traitements sans toucher le corps. D'ailleurs, il n'est pas nécessaire de toucher le corps physique lors du traitement.

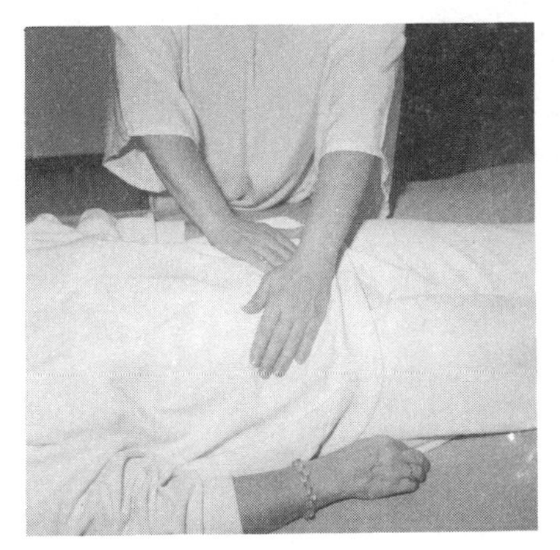

j) Le splénix : posez les mains de sorte à couvrir entièrement le bas du ventre, à deux pouces sous le nombril.

k) Les aines : posez vos mains confortablement, votre main droite sur l'aine gauche et votre main gauche sur l'aine droite.

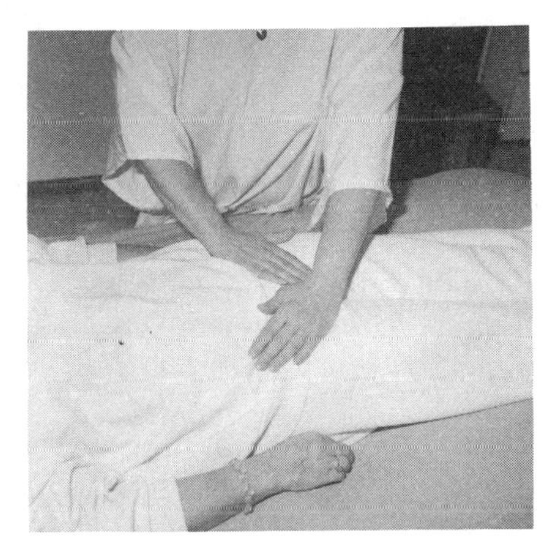

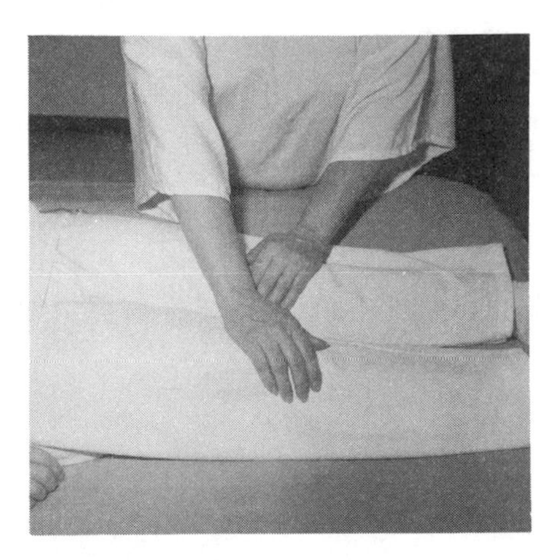

l) Les genoux : posez une main sur chaque genou dans une position qui vous sera la plus confortable.

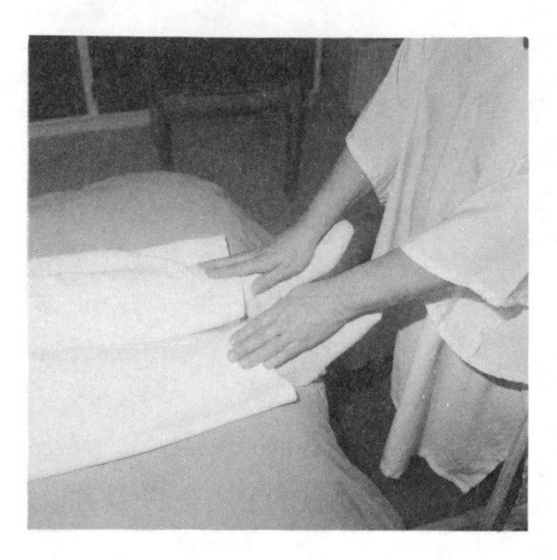

m) Les pieds : posez les mains, les doigts bien fermés sur le dessus du pied. Ne vous gênez pas, si le cœur vous en dit, de masser les pieds.

n) Les talons : prenez confortablement le talon de chaque pied et appuyez-le dans le chakra de chacune de vos mains.

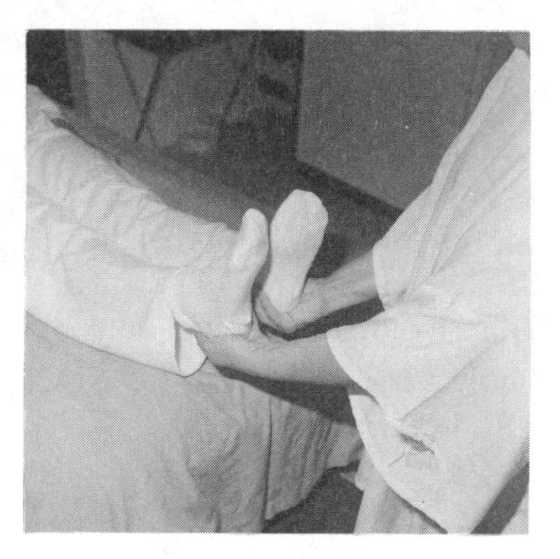

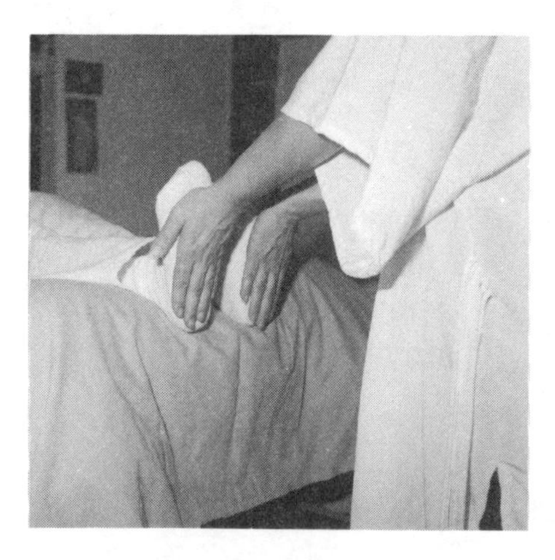

o) Sous les pieds : appuyez vos mains sous chaque pied de façon à bien couvrir le dessous du pied.

TRAITEMENT RAPIDE

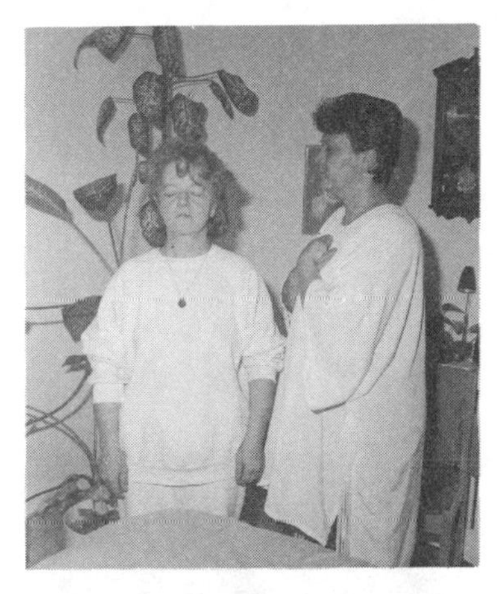

a) Faire le centrage du cœur pendant quelques minutes.

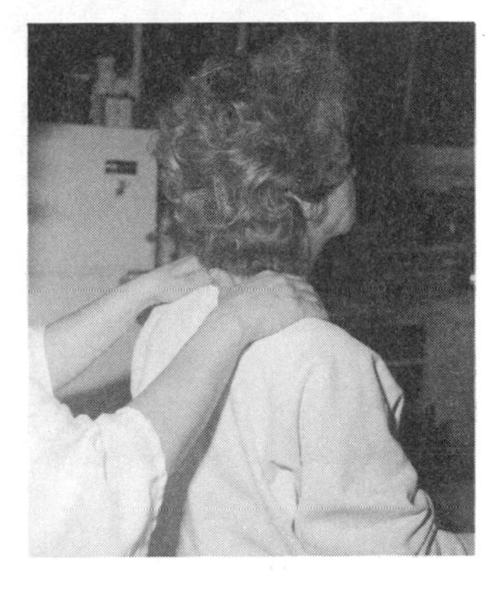

b) Harmonisez-vous avec votre patiente en descendant vos mains sur les épaules.

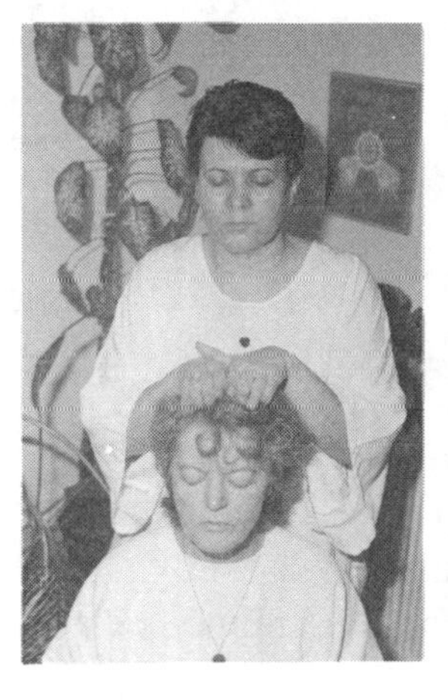

c) Les mains bien collées ensemble, les doigts serrés, posez vos mains sur la tête de la patiente.

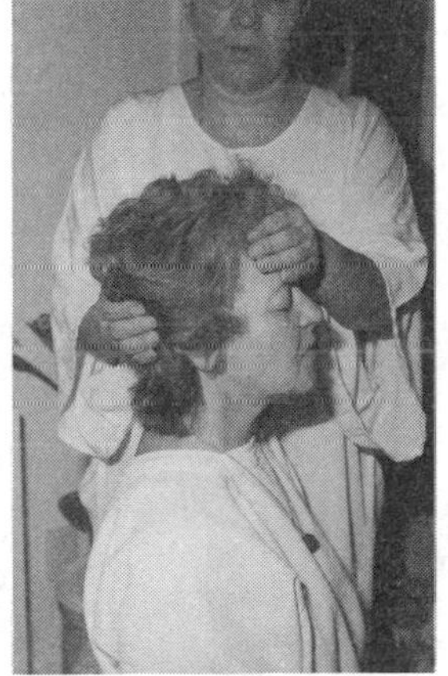

d) Posez la main droite sur le front et la main gauche sur la nuque.

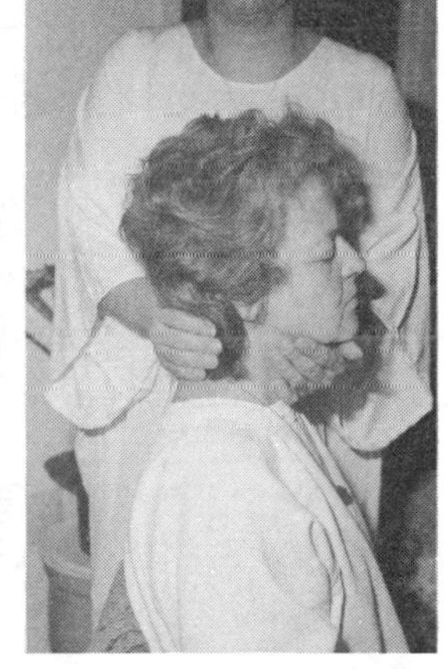

e) Posez la main droite sur la gorge et la main gauche sur le cou, à la même hauteur que la gorge.

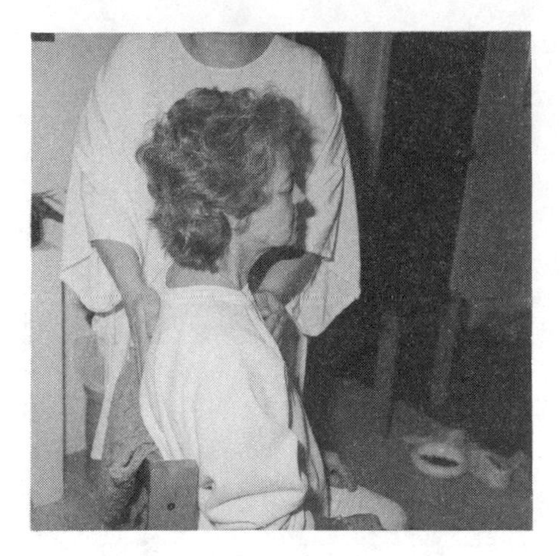

f) Posez la main droite sur la poitrine et la main gauche dans le dos.

g) Posez la main droite sur le plexus solaire et la main gauche à hauteur égale.

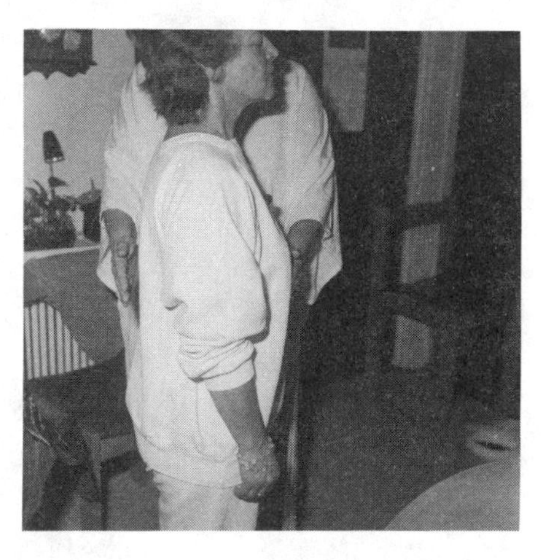

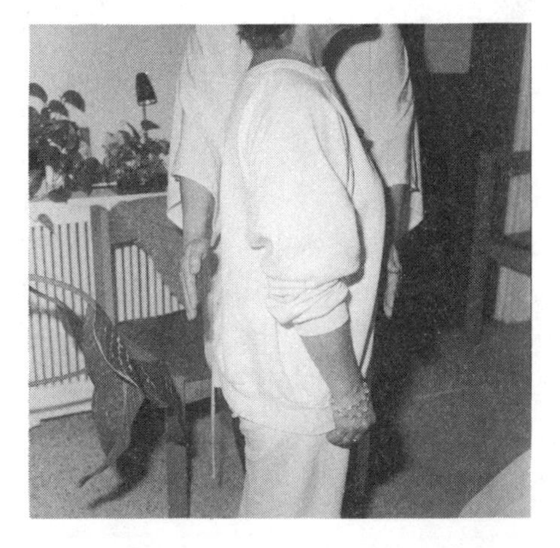

h) Enfin, posez la main droite sur le ventre et la main gauche à l'arrière, à la même hauteur. Souvenez-vous que chaque position dure trois minutes. Pour terminer, placez-vous en avant du patient, faites-lui un balayage de l'aura. Le traitement terminé, touchez-lui légèrement l'épaule pour le prévenir que c'est terminé.

TÉMOIGNAGES

Après les initiations, nous prenons quelque temps de réflexion sur ce qui vient de se passer. Nous retournons à l'intérieur de nous-même et partageons nos expériences avec les autres. J'ai donc choisi une vingtaine de témoignages pour éclairer les processus d'ouvertures qui ont lieu durant l'initiation. Vous constaterez les différences et les similitudes entre chacun d'eux. Pour protéger les principaux intéressés, j'ai préféré donner des noms fictifs. Je dois préciser ici qu'au premier niveau les élèves reçoivent quatre initiations. Voici donc quelques témoignages d'élèves des premier et deuxième niveaux.

Geneviève : Durant le processus de l'initiation, une grande force m'a clouée sur ma chaise. Je ne pouvais plus bouger la tête. Mes mains n'arrivaient pas à se distancer. Il fallait qu'elles se touchent. Lorsque tu posais tes mains sur ma tête, l'énergie entrait en moi et mon corps se mettait à vibrer au niveau de la tête, des épaules et de chaque côté du dos. À chaque respiration, je ressentais comme un coup dans le corps. Mais, en même temps, une présence derrière moi me soutenait. On aurait dit que quelqu'un me touchait les mains. Cela me donnait des frissons, mais je me sentais très bien. Ensuite, une lumière très blanche apparut devant moi!

Deuxième étape : J'étais toujours clouée sur ma chaise, une masse d'énergie lumineuse enveloppait mes jambes; je n'arrivais pas à bouger! J'ai senti une main près de ma nuque tout au long de l'initiation. J'avais parfois l'impression de ne pas être là, comme si je dormais. J'ai vu toutes sortes de symboles : des oiseaux, des cygnes et des escaliers. Je voyais une lumière blanche vibrant du côté de mon œil gauche. Je me sentais si bien que lorsque tu nous as demandé de reprendre conscience de notre corps et de la pièce où nous étions, je ne voulais pas quitter cet état de conscience extraordinaire. Durant cet état, j'ai pensé à mon grand-père et j'ai tenté de communiquer avec lui. C'est à ce moment que j'ai eu l'impression de recevoir un coup sur la jambe droite, ce qui m'a fait sursauter! Ensuite, des faisceaux de couleur violette et blanche se sont entrecroisés, puis d'autres symboles se sont mis à défiler tellement vite que je n'ai pas pu les distinguer. Ma tête, lourde, penchait vers l'arrière et parfois vers l'avant. J'ai vu comme des billes tourner devant moi, mais je ne me souviens pas de leur couleur. Mon cœur battait très fort. Lorsque tu t'es présentée devant moi, une grande force m'éleva doucement.

Diane : Je me sentais comme un lotus qui se déployait, comme si j'avais reçu une nouvelle ouverture qui me donnait un regard nouveau sur le monde. Une sérénité intérieure faisait place à des questionnements quotidiens. Puis les couleurs prennent place et l'harmonie s'intègre. Le Divin devient de plus en plus présent. La lumière pénètre dans les coins qui étaient restés sombres. J'ai pensé à l'intérieur de moi-même : «Que la Lumière soit.» J'ai senti que le canal était en place et en contact avec l'univers grâce à cette nouvelle énergie, le Reiki. Je me suis permis de vivre cette expérience pour accepter les dons que je peux partager avec ceux qui ont besoin d'aide et qui me le demanderont. J'ai compris que c'est seulement en se changeant soi-même que l'on soutient la terre dans son processus de nettoyage de cette «maladie» que sont nos pensées négatives, et que seulement à ce moment-là, la paix, l'amour et l'harmonie reviendraient sur cette terre! Je remercie tous les guides qui m'ont acheminée sur cette voie. Je me remercie d'avoir pris contact avec cette Source. Je sais que mon corps physique aura à intégrer ces nouvelles connaissances au fil des jours!

Suzanne : Je t'ai sentie seulement énergie, j'ai vibré dans le temps. Je me suis retrouvée devant Dieu, Jésus, devant l'amour inconditionnel. J'ai parlé avec cette énergie d'amour. Mon corps physique a pleuré et mon âme s'est libérée. Je me suis ensuite retrouvée devant le Chaman avec qui j'ai travaillé longtemps. Son corps n'était pas comme les autres corps physiques, il ressemblait à un homme-oiseau. Il m'a demandé de le remplacer à sa mort et je lui ai répondu que je ne pouvais pas. Aujourd'hui, j'accepte de le remplacer avec tout mon cœur. Je sais que je serai guidée par mon moi supérieur. J'ai l'impression de me retrouver.

Monique : L'initiation m'a amenée dans un état second. Je me suis sentie comme faisant partie d'un autre univers, et cet univers faisait partie de moi. J'ai ressenti l'énergie de la pièce à différents stades de l'initiation. L'énergie d'Élizabeth tourbillonnait autour d'elle comme une tornade. Quand elle est venue près de moi pour la première fois, mes jambes et mes genoux se sont mis à se secouer intérieurement. J'étais en contact avec tout ce qui se passait dans la pièce. Mon guide m'expliquait chaque étape de l'initiation quand Élizabeth posait ses mains sur moi. J'ai senti et vu mon troisième œil s'ouvrir. Durant ce temps, des petites bulles violettes dansaient devant moi. Au cours de la dernière initiation, je me suis sentie transformée alors qu'une boule d'énergie me pénétrait, me comblant totalement! L'ouverture des chakras de mes mains s'est agrandie. J'ai très bien vu et ressenti l'intégration des symboles sacrés grâce à une technique de respiration, et j'étais simplement énergie sans corps physique, je flottais.

Hélène : La première réaction que j'ai expérimentée est au niveau du corps physique. Une grande chaleur m'a envahie. Par contre, mes mains étaient froides. J'ai eu conscience d'un grand nombre d'entités autour de moi, mais je ne sais pas pourquoi elles étaient venues. Peut-être était-ce mes guides qui assistaient à mon initiation... Aussitôt qu'Élizabeth est entrée dans mon champ énergétique, j'ai été envahie par une grande chaleur, et je pouvais délimiter son espace. Ma respiration est devenue beaucoup plus calme. Puis, soudainement, une tension s'est manifestée au niveau du dos, de haut en bas, ainsi que dans le cou. C'était comme s'il y avait un tourbillon au-dessus de ma tête. Le mental aurait bien voulu comprendre ce qui se passait. L'acceptation est venue avec le temps.

Andrée T. : Un immense œil semblait couvrir tout mon front. Devant moi, une boule remplie de pétales s'est soudainement ouverte. Cela me rappela la fleur du lotus. La boule semblait prendre de l'expansion. Une femme a déposé sur mes genoux un grand livre ouvert. J'avais l'impression qu'on me transmettait la connaissance. Ensuite, un être de lumière qui ressemblait à un archange s'est interposé entre Élizabeth et moi; il avait les mains et le regard tournés vers ciel, ce qui signifiait pour moi l'abandon à Dieu. J'ai ressenti tellement d'amour que les larmes me sont venues aux yeux. Dans une de mes mains, il y avait beaucoup de chaleur, l'autre était chaude au milieu et froide autour. J'ai aperçu deux épées qui s'entrecroisaient : cela représente ce sur quoi je dois trancher et aussi le discernement que j'aurai à utiliser dans l'avenir. Puis, devant moi, j'ai vu une coupe de lumière dont les côtés s'élargissaient à l'infini comme une boule de lumière blanche qui semblait s'étirer de tous les côtés.

Voici maintenant mon expérience au deuxième niveau : Avant même que tu me touches, j'ai senti une chaleur intense dans la nuque. La boule d'énergie blanche m'est réapparue et on m'a remis un joyau de couleur blanche et mauve dans la main droite. J'ai vu l'intérieur de mon corps dans une lumière verte et l'extérieur était mauve. J'avais l'impression d'avoir deux corps, un de couleur verte et l'autre mauve. L'œil est réapparu suivi d'une magnifique colombe. J'ai vu un aigle majestueux, ce qui représente pour moi une grande force et un pouvoir libérateur et, en même temps, il semblait très doux. Quelques minutes avant la fin, je devins de lumière blanche et j'ai reçu l'étoile de David, de couleur bleue, qui se transforma en une belle grosse croix. J'ai vu aussi des marches, ce qui représente pour moi une élévation au niveau spirituel. Tout au long de l'initiation, je me suis sentie remplie de lumière verte et enveloppée de lumière violette. Un faisceau de lumière blanche traversa tous mes chakras, du chakra de la couronne à celui de la kundalini. Une paix s'est installée à l'intérieur de mon être. Je me sens bien!

Dianne L. : Lorsque mon maître Reiki s'est approché de mon chakra de la couronne, j'ai vu le signe du Reiki en lumière blanche avec un cercle blanc autour et un deuxième cercle de couleur rouge. Au moment du souffle sur mon troisième œil, un chemin blanc s'est ouvert au-dessus de ma tête et une colombe blanche s'est envolée. Chaque fois que l'on frappait sur mes mains, je voyais une couleur différente, d'abord du rouge, puis du blanc et du bleu, des lotus blancs dans chaque main, puis des cercles de lumière bleue et blanche. Dans ma main droite, je ressentais comme le don de la force, dans ma main gauche, celui de la réceptivité et de la douceur. Au niveau du cœur, une chaleur croissante a pénétré en moi. J'ai aperçu à plusieurs reprises l'étoile de David, bleue avec un cercle blanc autour. À un certain moment, j'ai vu une lumière blanche dorée d'une très grande intensité et je savais que c'était mon maître spirituel. Elle était présente dans mon maître Reiki, puis elle était entre nous comme si son corps était près de moi, je la sentais presque physiquement. Par la suite, sa lumière est entrée en moi et je la voyais comme dans mes méditations. J'ai eu deux fois la vision d'un canal ou passage vertical, ouvert très large en haut, et je voyais la lumière de mon maître y entrer et le remplir de cette belle lumière qui descendait, une lumière blanche dorée. Ce passage est réapparu, mais cette fois-ci, il se remplissait d'une belle lumière bleue.

Lors des souffles, j'avais l'impression de recevoir le Souffle de vie. Une couronne de roses et d'épines, solide et indestructible, a été déposée sur ma tête. À la fin de l'initiation, un lotus blanc extraordinairement brillant est apparu au-dessus de ma tête.

Lucie : Je me sens plus grande. Mes mains sont différentes, elles ont doublé en longueur et en largeur (c'est ce que je ressens, bien sûr). J'ai vu un livre à cercle doré sans pages. J'ai vu des milliers de symboles. Je n'ai pas pu les reconnaître, sauf une sorte de croix. Je me suis vue assise dans un temple lorsque tu a mis mes mains au niveau de mon troisième œil. Je connaissais ce geste. J'ai vu la lumière blanche pénétrer dans mon chakra du cœur. J'ai ressenti une très grande ouverture au niveau du cœur. Quand tu as travaillé sur mes mains, au niveau du troisième œil, j'ai vu une lumière venir s'intégrer jusqu'au bout de mes doigts. Cela ressemblait à un fluide lumineux qui est descendu jusqu'au bout de mes orteils. Une entité avec laquelle je travaillais depuis un certain temps m'a quittée. Elle a offert un cadeau à tout le groupe. L'énergie de l'entité circulait comme un tourbillon de lumière dorée et bleue autour de nous. Cela m'a causé un grand chagrin quand cette entité que j'aimais beaucoup m'a quittée. Je ressentais un grand vide, mais je savais que je venais de franchir une grande étape de ma vie. Une nouvelle entité travaillera maintenant avec moi. Lorsque j'ai pris conscience de sa présence, je me suis sentie transformée. J'avais impression d'être plus grande. Je crois reconnaître ce nouveau guide, car il était déjà venu me rencontrer.

J'aimerais aussi partager avec vous mon expérience de deuxième niveau. Mon nouveau guide s'est mis à me bercer comme si j'étais une enfant et j'ai vu autour de moi une lumière qui ressemblait à un œuf qui m'englobait. J'ai senti le flux d'énergie que la Source déversait sur ma tête. J'ai senti une grande chaleur qui couvrait mes mains tout en les pénétrant. J'ai reçu beaucoup d'amour. J'offre mes mains à tous ceux qui en auront besoin.

Aline : J'ai vu beaucoup de couleurs, mais surtout du mauve et du blanc. Deux formes se sont présentées : celle d'un œil dont le centre ou la pupille était mauve et qui se dilatait, le tour était doré et entouré de blanc; l'autre forme était un triangle de même couleur que l'œil. Ces images étaient à la fois floues et précises. Je me suis souvenue avoir rêvé être dans cette pièce, recevant ces initiations (c'était comme un retour en arrière). Je me suis vue en moine tibétain. Est-ce que je faisais ce même travail? Je me suis demandé pourquoi j'étais là. Était-ce pour refaire le chemin que j'avais perdu ou pour aider l'humanité à retrouver sa route?

Louise : Je sais que je suis riche aujourd'hui encore plus qu'hier. Quelle quiétude! Quel état extraordinaire que ce bien-être inexplicable! J'ai senti le chakra de ma couronne s'ouvrir comme s'il s'agissait d'une fleur qui ouvrait ses pétales tous ensemble, et je captais en même temps ce qui ne pouvait être autre que des enseignements. Les chakras de mes mains sont ouverts jusqu'au bout des doigts. Je me suis sentie tout à fait détendue. Je crois que ce que j'ai appris de plus important, c'est que cela ne fait pas mal, que ces initiations ne sont qu'amour, communications, ouverture et bien-être. Merci au Créateur!

Lise : J'ai reçu tellement d'amour, beaucoup d'amour, c'était très bon, très émouvant. C'est difficile de recevoir de l'amour inconditionnel sans donner en retour. J'ai senti au niveau de la gorge mon canal très ouvert. L'énergie à l'intérieur et autour de moi circule mieux et plus librement. Ma respiration s'est grandement améliorée.

Joan : Je me baignais dans les couleurs de la nature. Chaque chakra correspondait à quelque chose de la nature. Le mauve me faisait penser à la spiritualité qui s'ouvrait en moi. Tout était mauve : l'eau, le ciel et la terre. Toute la nature autour de moi dansait. Cela m'a fait prendre conscience que la spiritualité était quelque chose de naturel, que la nature fait partie de la spiritualité. Puis le jaune du soleil s'est présenté. Je sentais un bien-être et une chaleur qui faisaient de moi le soleil. J'aurais voulu l'offrir à Dieu.

Au deuxième niveau, lorsque tu as fait jouer les cloches tibétaines, je me voyais sur une montagne comme si j'y étais allée écouter les enseignements qu'on voulait me donner.

T. : Lors de l'initiation au premier niveau, une montagne d'un gris bleuté couverte d'un faîte blanc m'est apparu et, quelque temps plus tard, c'était une pyramide dorée. Soudainement, une poudre d'or me pénétrait par le chakra de la couronne! J'ai revu encore la montagne couverte d'un faîte blanc, mais, cette fois-ci, des ondes s'en dégageaient tout autour. La pyramide dorée est réapparue et la poudre dorée qui se déversait sur moi s'est transformée en un liquide doré dans le chakra de la couronne qui, à ce moment, ressemblait à une carafe translucide. Lorsque tu as touché au troisième œil, il était fermé. Il s'est alors ouvert et j'ai remarqué qu'il était doré; le chakra de la couronne était devenu un grand cratère d'or et le dessous formait une coupole de couleur bleu foncé.

Je ressentais une pression sur la tête et les tempes. Après la prière pour appeler l'énergie du Reiki, lorsque tu m'as demandé si j'étais prête, j'ai aussitôt ressenti une pulsion (force) intérieure. Une rose blanche, déposée sur un plateau qui semblait être de couleur argent, est immédiatement apparue! J'étais consciente que l'énergie était présente et que j'étais prête. J'ai expérimenté la chaleur et la douceur de l'énergie qui se dégageait de nos êtres. J'ai bien aimé et apprécié me sentir ancrée à nouveau à l'énergie, de ressentir la paix, l'harmonie. Je crois que le Reiki est un moyen pour retourner à la source. C'est une voie pour cheminer dans l'amour inconditionnel.

Carole : Tu as dit que vingt et un jours de nettoyage intérieur nous attendaient après l'initiation au Reiki, et c'était vrai. Quelle plénitude j'ai vécue!

Quelque peu nerveuse devant l'inconnu, je me suis assise sur la chaise comme tu me l'avais demandé pour recevoir la première initiation. J'ai fermé les yeux et j'ai senti des mouvements autour de moi tout en tentant avec mon mental de deviner ce que tu faisais. J'ai atteint un paroxysme de curiosité lorsque tu m'as touché la tête. Puis, tout à coup, tel l'effet de l'aiguille de l'anesthésiste avant une opération, je me suis sentie ramollir.

Je suis entrée en moi, ni apeurée ni surprise qu'une tête d'enfant logeait à l'intérieur de mon abdomen. Son visage était calme, doux, compatissant, à tel point que des larmes roulaient sur mes joues. Non pas des larmes de tristesse, mais des larmes d'extrême joie, comme quand on retrouve un être cher qu'on n'a pas vu depuis longtemps. Dans le plus grand silence, je vivais un état de communion totale avec cet être que je n'identifiais pas comme mon enfant intérieur. Je recevais de l'amour avec une telle intensité, comme jamais je n'aurais imaginé en recevoir. Je sentais qu'on accueillait mon être tel qu'il était, et je vibrais à ce moment à l'amour inconditionnel.

Les effervescences du Reiki passées et de retour dans le quotidien, je croyais que la vie reprendrait son cours normal. Mais je n'ai plus jamais perçu la vie de la même façon. Quelle ouverture d'esprit m'envahissait! Mes yeux voyaient avec une telle lumière, mes oreilles entendaient les sons à travers les parois. Qu'il était bon de goûter et de toucher! Moi qui croyais être une fille sensible, je vivais l'explosion de mes sens. Comme j'avais connu le grand amour de mon enfant intérieur, je ne laissais plus les gens me faire du mal.

Plus merveilleux encore, je vivais le «ici et maintenant». Je discutais avec quelqu'un et dès que la conversation se terminait, je revenais en moi, je retrouvais mon centre où il n'y a ni joie, ni tristesse, ni bonheur, ni malheur, mais où il y a l'unité. J'étais là, dans un état de béatitude, comme quand on vit un orgasme ou qu'on se retrouve quelques secondes dans le néant, dépourvue de sensations.

Vivre cet état, c'est le rechercher toute sa vie. Je comprends mieux maintenant la course effrénée aux drogues, au sexe ou aux autres stimuli du genre. Ils ne sont en fait que la recherche de la quête de l'absolu, le Saint-Graal. Pour Carole, le Reiki fut l'expérience de l'unité!

TÉMOIGNAGE SPÉCIAL DE MIREILLE-NATHALIE DUBOIS

J'ai eu le grand plaisir d'initier Mireille-Nathalie Dubois, auteure reconnue au Canada pour ses cartes de l'Ange de la Présence, ses livres sur la voyance et ses contacts avec les extra-terrestres. Son témoignage contient, en des mots très simples, tout ce que mon cœur voulait vous transmettre, cet amour infiniment pur qu'il m'était si difficile d'exprimer. Il est vite devenu très clair pour moi que le lien spirituel qui existe entre le maître et son élève s'était établi. Nos cœurs maintenant tenaient le même langage! Voici donc le témoignage de Mireille-Nathalie, un seul cœur, un seul partage!

Lorsque l'initiation du premier niveau a commencé, au moment où j'ai placé mes mains sur elle, ce geste devint pour Mireille-Nathalie le symbole de l'unité; c'est-à-dire la perception entière de se retrouver totalement en unité avec la Source de vie. Elle a ressenti dans son âme tout ce qui se passait, mais, en fait, c'était dans son corps que cela se produisait. Puis une prière se révéla à sa conscience. Elle réalisa à ce moment que c'était son âme qui priait et qui sollicitait l'assistance de son «Soi spirituel» ainsi que celle de ses maîtres de Reiki, le Dr Usui et madame Takata. Madame Takata lui a confirmé qu'elle deviendrait, à partir de ce jour, un être très important dans sa vie. Elle sentit qu'une ouverture s'était créée en son être et, tout au long de cette initiation, cette ouverture continua de s'agrandir. À partir de ce moment-là, une île lui est apparue. Cette île contenait l'univers et cet univers était placé au-dessus de sa tête; puis, une immense ouverture s'est faite et elle a vu cet océan se mettre à couler à l'intérieur d'elle-même, à partir de son chakra coronal jusque dans le plus profond de son être. Elle a reçu aussi des dons du Dr Isui et d'autres maîtres; Dr Usui a placé quelque chose dans sa main droite et son maître spirituel dans l'autre. Madame Takata lui a encore rappelé qu'elle travaillerait avec elle. L'océan est ensuite réapparu et s'est de nouveau mis à couler en elle comme une pluie dorée. J'ai confirmé à Mireille-Nathalie que cette couleur dorée appartenait à des êtres de la même couleur et à un immense soleil que j'avais vu durant l'initiation. Son «Soi spirituel», telle une photo, lui est apparu et s'est transformé en un énorme soleil doré qui s'est mis de nouveau à couler en elle. C'est à ce moment-là que l'océan a resurgi en elle et qu'une présence christique s'est manifestée. Elle avait été prévenue par ses guides qu'elle devait recevoir une autre infusion christique et c'est pourquoi ils la guidèrent vers cette initiation. Elle devait connaître cet aspect christique, car celui-ci manquait encore dans son cœur. Le Reiki lui a donc permis d'atteindre un autre dégré de fusion christique. Elle voit bien maintenant le rayonnement de ce nouvel aspect christique. Le Reiki est devenu une préparation du canal à recevoir de hautes initiations parce que les énergies des hautes initiations sont très puissantes et qu'il fallait que Mireille-Nathalie soit prête à les recevoir. Avant de recevoir des énergies aussi puissantes, il faut vraiment harmoniser tous ses corps pour être totalement au diapason universel. Seul le Reiki pouvait accomplir ce travail.

Le Reiki est source de l'harmonisation et je crois réellement que la personne qui reçoit le Reiki doit prendre soin de ce canal avec beaucoup d'attention, car le Reiki est de l'amour. C'est de l'amour que l'on partage d'abord avec soi-même et qui nous est toujours disponible. C'est aussi une très grande source de fraternité, c'est ce qu'il y a de meilleur en nous. C'est un lien d'amour et c'est pour cela que des êtres sont choisis pour le transfuser. La personne qui initie donne une transfusion de cette essence d'amour. C'est cette transfusion d'essence d'amour qui fait la beauté du Reiki. Ainsi, lors des initiations, les gens partagent l'amour qu'ils ont reçu. Ce que je désire exprimer ici est que tout est équilibre dans l'Ordre divin.

Certaines personnes craignent qu'il y ait trop de maîtres Reiki, mais il ne faut pas avoir peur, car le Divin guide chacun vers ceux qu'il doit rencontrer.

L'océan de vie est immense et on ne sait pas qui l'on va rencontrer dans la vie. Nous oublions que nous sommes universels et qu'il y a des milliers, des milliards même de vies, et que des êtres extraordinaires vont venir à notre rencontre pour recevoir le Reiki. Ainsi, des maîtres seront voués à initier des êtres qui viendront d'autres planètes. Il ne faut donc pas avoir des pensées limitées, car lorsque l'on pense de cette façon, on pense trop petit. Nous devons penser «universel», car l'homme doit arriver à cette pensée universelle. C'est seulement en transformant ses pensées limitées que l'homme pourra jouer son rôle universel.

Le Reiki se situe sur ce plan universel et lorsque l'on reçoit l'initiation au Reiki, c'est pour toujours. C'est un cadeau dans l'amour universel qui ne nous est jamais retiré et qui est toujours renouvelé. Dans chacune de nos vies, que nous soyons sur une autre planète, dans un autre univers ou sur une autre galaxie, le Reiki sera toujours renouvelé.

Le Reiki est la grande Alliance divine qui se renouvelle constamment!

Lors de son deuxième niveau, Mireille-Nathalie ressentit dans tous ses corps qu'elle ne faisait qu'un avec la lumière. Je lui ai dit qu'on lui remettait une épée dorée. «J'ai perçu cette épée comme un arc-en-ciel qui coulait en moi, m'a-t-elle dit. C'était la fusion de ce rayonnement dont j'étais à la source. Cela s'est installé à l'intérieur de mes chakras et de mon cœur et j'ai vu une fleur de lotus s'ouvrir au-dessus du chakra de la couronne. Mon maître spirituel y a installé sa flamme. J'ai été envahie par une joie immense.»

«J'ai beaucoup senti, a-t-elle dit, cette initiation comme une source de lumière dans mon cœur; j'ai perçu plusieurs symboles : une rose, une croix dorée et j'ai vu des particules dorées se placer dans les chakras de mes mains. Je me suis sentie dans mon corps de lumière. À partir du moment où je me suis sentie dans ce corps de lumière, il y a eu unité avec cette lumière et, dès lors, c'est comme si je percevais la source de l'arc-en-ciel; elle s'est logée dans mon cœur et je me suis sentie totalement illuminée.»

Le Reiki est une source de révélation, car lorsque l'on reçoit l'initiation, la connaissance de ce qu'on est venu faire sur la terre nous est révélée.

Voici un texte de Mireille-Nathalie qui lui a été inspiré grâce au bonheur reçu du Reiki. Elle l'a intitulé :

LE FLAMBEAU DE GUÉRISON DU REIKI

Une douce lumière embrasa mon corps, mon âme et mon esprit. Avec un incommensurable amour, le transfert de la Source originelle du Reiki se produisit. Je perçus profondément l'intégration des Sceaux Vivants et Lumineux de la Flamme de la Guérison du Reiki.

Par le Souffle, les Gestes et les Signes sacrés perpétués par le canal du maître Reiki initiateur, je ressentis la fusion entière avec la Lumière perpétuelle se consumant dans le cœur du Temple de la Pure Guérison.

Par la suite, mon souffle se logea dans une nouvelle dimension de mon être. Cette dimension est remplie de Paix, d'Amour, de Force et de Lumière.

Tout mon prana vital intégra une autre intensité, une autre conscience, une autre dimension appartenant à la vie universelle : la dimension des consciences élevées travaillant totalement au service de la guérison de l'humanité.

Durant cette initiation merveilleuse, je me sentis totalement unifiée au Feu Immortel de la Source de la Vie Universelle. Mon cœur est rempli de gratitude, pour tout l'Amour, l'Intégrité et la Dignité que sut me prodiguer Élizabeth Dufour dans son canal de maître initiateur. Le transfert des Symboles puissants du Reiki me fut entièrement donné dans son sens le plus beau, le plus pur et le plus spirituel.

Merci de tout mon cœur à tous les Maîtres Immortels du Reiki, ainsi qu'au maître Reiki vers qui la Lumière m'a guidée. Merci Élizabeth !

Mireille Nathalie Dubois

LES ACCOMPLISSEMENTS

C'est une grande joie pour moi de vous parler des accomplissements du Reiki, car ils furent nombreux et très différents les uns des autres. Vous pourrez vous-même juger de l'ampleur de ces événements dans la vie des personnes concernées.

Tout au long de l'année, différentes personnes sont venues me voir pour recevoir les initiations au Reiki. Certaines d'entre elles vivaient des moments très difficiles et ne réussissaient pas à se prendre en main. À la suite de leurs initiations, plusieurs ont réussi à se sortir de l'engrenage de leurs peurs et de leurs croyances. Voici quelques exemples d'accomplissements dans la vie de ces personnes :

- Une journée d'initiation, nous étions trois personnes assises autour de la table quand une d'elles me demanda : «Est-ce que le Reiki peut aider notre frère à cesser de boire? Cela fait tellement d'années qu'il boit que s'il n'arrête pas, il va en mourir.» Ses employeurs lui avaient payé une cure de désintoxication, mais, quelque temps après, il était retombé dans ses mauvaises habitudes. Je leur ai dit d'appeler leur frère pour savoir s'il était intéressé à recevoir du Reiki, ce qu'une d'elles fit. Ce frère nous demanda de lui envoyer du Reiki à distance, ce que nous fîmes immédiatement. Il nous a par la suite confié avoir ressenti beaucoup de chaleur et d'énergie. Ce qui est extraordinaire, c'est que cet homme n'a plus jamais recommencé à boire. Il n'appartient à aucune association (par exemple Les AA) et a perdu le goût de boire. Récemment, il a demandé à ses sœurs de l'aider à arrêter de fumer! Il a retrouvé la joie de vivre. Il a nettoyé sa maison et a tout repeint. Il est heureux! Tout ce qu'il a eu à faire, c'est de nous demander de l'aider et la Source infiniment généreuse lui a accordé la guérison de cette habitute destructive. Il était près de perdre son emploi, sa famille ne le visitait presque plus, tout était perdu pour lui et voilà qu'une vie nouvelle commence pour lui. L'amertume a cédé la place à la joie et un monde nouveau lui a ouvert ses portes.

- Un couple possédant beaucoup de dons en matière de guérison spirituelle m'a demandé l'initiation au Reiki. Pour eux, le Reiki était une question de protection et un outil d'évolution spirituelle qui les intéressait. Quelques mois après l'initiation, j'ai appris que ce couple s'était séparé, mais que tout s'était passé dans l'harmonie sans mots douloureux ou affrontements violents. Aujourd'hui, cet homme partage sa vie avec une autre femme et est très heureux. Elle aussi a trouvé l'homme de sa vie. Il est évident que, sur le coup, les gens n'apprécient pas ce qui leur arrive, car ils ne comprennent pas que tout est toujours pour le mieux. Ils s'interrogent et s'inquiètent. Mais ils découvrent ensuite qu'il y avait bien longtemps que cette démarche aurait dû avoir lieu et que, finalement, cela n'aurait rien donné de poursuivre la relation encore plus longtemps. Le Reiki leur a donné le courage et la force de se prendre en main. N'est-ce pas extraordinaire?

- Une dame qui œuvre dans le domaine du «rebirth» est venue me voir pour se faire initier au Reiki. Elle m'a appris que ses guides spirituels lui avaient conseillé de venir chez moi. J'ai été très surprise et, en même temps, heureuse de constater que des guides des mondes subtils m'envoyaient des gens pour les initier! Cette dame avec qui je me suis liée d'amitié se sert de son Reiki continuellement. Elle s'en donne et en donne aux autres. Elle est en voie de s'autoguérir. Elle avait subi deux accidents d'automobile très sérieux, et tout son corps avait été reconstruit par les médecins. Aujourd'hui, elle est capable de danser, de jouer aux quilles et de faire de grandes promenades. Elle est très heureuse.

- Une de mes élèves m'a fait part le jour de son initiation qu'elle ne pouvait plus vivre avec son ami. «Mais pourquoi ne le quittes-tu pas?», lui ai-je demandé. Elle ne pouvait pas, m'a-t-elle répondu, car la maison était à elle! Bien sûr, cela pouvait poser un petit problème. Je lui conseille tout simplement de parler à son ami et de s'expliquer avec lui. Il faut comprendre ici que, lorsque je parle aux gens durant les initiations, ils reçoivent des messages canalisés, autrement dit, les messages ne viennent pas nécessairement de moi, mais de la Source. Je me vis en train de lui expliquer comment tout se passera et que tout ira très bien, de ne pas s'inquiéter, car son ami restera un grand copain pour elle et que le Reiki la protégera. Deux jours après les initiations, elle m'a téléphoné pour me dire que tout ce que je lui avais dit s'était produit exactement comme prévu. Elle n'en revenait pas et, vous l'avez deviné, son ex-amant est bel et bien devenu un grand ami!

Les femmes ont souvent peur de faire face aux séparations. Elles ne savent pas comment aborder le sujet auprès des êtres avec qui elles partagent leur vie. Elles préfèrent ne rien dire et accepter une vie parfois insupportable. Elles ne comprennent pas que si la vie leur semble insupportable, elle doit automatiquement l'être aussi pour leur conjoint. Après les initiations, tout change, car le Reiki est un enseignement à l'amour inconditionnel, en commençant par soi-même. Les femmes ne se permettent plus de vivre des choses non désirées, elles décident de se prendre en main et toute la force et la confiance dont elles ont besoin sont là pour les soutenir dans les moments les plus difficiles.

Elles sont surprises de constater comment tout s'est réglé facilement!

- Un groupe d'élèves avait comme but de former dans le nord un centre de relation d'aide. À la suite d'initiations, ce groupe a réussi à trouver la maison qu'il cherchait et leur projet fut accepté par les responsables de cet endroit. Aujourd'hui, ces femmes viennent en aide à un grand nombre de personnes dans le besoin ainsi qu'aux gens âgés.

Plusieurs personnes ont commencé à s'occuper des malades à la suite d'initiations. Elles se sont mises à accompagner les mourants. Plusieurs ont trouvé un nouveau but dans la vie et une raison d'être.

- Une femme a reçu de grandes bénédictions à la suite de son initiation. Elle cherchait du travail depuis fort longtemps sans que rien ne se produise. Soudainement, après l'initiation, elle reçut une réponse à l'une de ses nombreuses demandes d'emploi. En ce moment, elle attend des nouvelles pour commencer son travail comme chauffeure d'autobus à la STCUM, sa candidature a été acceptée! Le Reiki lui a aussi permis de s'ouvrir aux autres ethnies. Elle a appris à mieux les connaître et à les comprendre. Elle m'a aussi confié que ses enfants lui demandent des traitements de Reiki et que cela les aide énormément dans leurs études. Elle apporte aussi son aide à une dame qui souffre beaucoup à cause d'émotions non exprimées. Elle m'a raconté qu'un jour après la sixième visite cette dame a enfin sorti toutes ses émotions. À partir de ce moment, sa santé s'est beaucoup améliorée. Elle a également aidé une personne dont le sang restait collé aux parois de l'utérus lors de ses menstruations, ce qui la faisait souffrir énormément. Après un traitement de Reiki, le sang s'est décollé de l'utérus et lorsque cette personne est allée voir son médecin, il lui a confirmé qu'elle était hors de danger.

Le Reiki agit aussi au niveau des émotions; c'est ainsi que des élèves violents ont cessé de l'être grâce au Reiki. Un de ces élèves m'a dit que même une semaine avant son initiation, ses enfants et ses employés avaient remarqué un grand changement chez lui. Lui-même ne se reconnaissait plus!

- Un jour, un aide aux bénéficiaires est venu se faire initier. Lorsque que je l'ai vu pour la première fois, j'ai cru que cet homme était très malade. Il avait le teint pâle et verdâtre. Après discussions, j'ai compris que cet homme aimait beaucoup les gens dont il prenait soin et que, lorsque ces viellards mouraient, ceux-ci restaient dans le champ énergétique de cet homme. Cela prenait beaucoup de son énergie. Nous étions cinq à suivre les cours cette fin de semaine-là et nous avons vu cet être se transformer sous nos regards émerveillés. Au début, son teint a changé, puis la fatigue est disparue de ses traits. Ensuite, il émanait de ses yeux une belle lumière et, à la fin, nous ne pouvions presque plus reconnaître cet homme tellement son visage rayonnait. Il faisait un «burn out» et était condamné à un an ou un et demi de repos. À la surprise de son médecin et grâce au

Reiki, il s'est rétabli au bout de quatre mois! Il m'a confié qu'il ne voyait plus la vie de la même façon, ses idées avaient changé. Il m'a dit : «Je sais mieux où je m'en vais, je me respecte plus et je passe plus facilement à travers les épreuves. Dans mon travail, il m'est plus facile d'accompagner les mourants et je trouve que les mourants partent plus paisiblement. Il m'est plus facile de supporter les malades.»

- «J'ai pris conscience de ma vie, de ma spiritualité et de mon corps physique, m'a raconté Joan. J'ai compris la puisssance de mon ego et j'ai décidé de travailler fort pour améliorer ma situation. J'ai communié avec mon esprit afin de devenir une âme d'amour. Maintenant, je peux aider les gens à passer les moments difficiles de leur vie. Je les aide à voir clair en eux-mêmes, à accepter les événements qu'ils ne peuvent changer et à avoir la force de transformer les choses qu'ils peuvent. Grâce au Reiki, la vie est devenue un chemin plus clair pour moi. Je me sens guidée dans tout ce que je dis et fais, je n'ai même pas besoin de penser. J'accepte le chemin où le Reiki me conduit.»

TÉMOIGNAGES À LA SUITE DE TRAITEMENTS

Les gens vivent des émotions très intenses durant les traitements de Reiki. Selon leurs blocages, l'énergie se manifeste de façon à les libérer. Voici quelques témoignages de traitements.

- Alors que je travaillais sur la zone intermédiaire entre les premier et deuxième chakras d'une femme de quarante-huit ans, les paumes de mes mains se sont mises à transpirer, car je percevais une grande chaleur à cet endroit. Je notais cette sensation sans m'y attacher. Par contre, mes mains sont restées longtemps comme si elles étaient collées, tellement l'énergie semblait bloquée. On aurait dit que je ne pouvais pas les déplacer, aussi je m'abandonnais à cette énergie que je captais. À ce moment précis, je reçus un message intérieur qui était comme une sensation fugace. En effet, c'était un sentiment aussi pénible que désagréable où je sentais qu'il s'agissait d'un enfant très malheureux qui se sentait prisonnier. Je sentais simultanément que la personne traitée ressentait aussi une chaleur intense qui devenait même désagréable, car elle commença à bouger sur la table. À ce moment précis, mes mains se sont dégagées et j'ai pu les bouger sur une autre partie du corps de la dame afin de continuer le traitement. Au moment du partage, la dame, qui était très rationnelle, m'a dit qu'elle avait eu des sensations de chaleur, parfois intense, surtout sur la zone du premier et du deuxième chakra. Ce fut comme une confirmation de ma propre expérience.

La sensation de chaleur avait été très forte, même pénible, et elle se demandait si je savais pourquoi. J'étais incapable de lui donner la raison exacte, mais je lui dis que, pendant le traitement sur cette zone, j'avais senti un très net blocage d'énergie accompagné d'une sensation de tristesse qui venait probablement de très loin, car j'ai eu l'image d'une petite fille qui se sentait prisionnière, comme incapable d'agir librement. Au moment où je lui faisais part de ce que j'avais ressenti, j'avais la certitude qu'il s'agissait d'inceste, mais je ne voulais pas me substituer au partage de la dame. La personne traitée, visiblement ébranlée, m'a spontanément confié qu'elle avait effectivement été victime d'inceste pendant son enfance.

Ce dégoût pour son corps ainsi maltraité l'a amenée à un comportement boulimique qui la rend finalement malheureuse. Et pourtant, son désir de changer était incroyablement fort. Je le ressentais tellement que j'en étais émue. De plus, elle souffrait de maux terribles d'estomac que les médicaments allopathiques et homéopathiques ne soulageaient pas. Ce traumatisme subi pendant son enfance l'avait empoisonnée toute sa vie, y compris la période de femme adulte, où elle faisait passer toujours les autres avant elle tellement elle avait peu d'amour et d'estime pour elle-même. Dès la première séance, ses maux d'estomac s'atténuèrent de manière considérable. Elle reprit encore deux autres séances, où j'ai eu l'occasion de travailler plus longuement au niveau du chakra du cœur et du plexus solaire. Cela consolida les résultats et l'aida à devenir plus calme intérieurement. Elle me dit qu'elle dormait plus profondément depuis.

L'énergie du Reiki est une énergie d'amour qui agit toujours dans les différents corps de l'aura de la personne traitée. Cette énergie est parfois ressentie dès la première séance.

- Une autre personne s'est présentée pour un traitement. Elle travaillait comme consultante en relations publiques. Elle était amenée à côtoyer de nombreuses personnes qu'elle analysait, parfois malgré elle, d'après les principes de psycho-morphologie pour mieux voir avec qui elle allait travailler. C'était une personne très dynamique, qui voulait absolument comprendre le Reiki avec son intellect, avant même de l'avoir expérimenté. Quand j'ai commencé le traitement, je ne pouvais pas m'empêcher de constater à quel point elle était tendue. J'étais curieuse de voir comment l'énergie du Reiki allait travailler avec cette jeune dame. En effet, j'avais remarqué que le Reiki était une énergie d'amour autonome et intelligente qui sait exactement de quelle manière elle doit agir sur la personne à traiter, tout en respectant l'individualité et le vécu émotionnel de chacun. Ainsi, plus le praticien s'abandonne à cette énergie, plus celle-ci sera active, car il n'y a plus d'interférences mentales. La jeune femme dégageait beaucoup de chaleur au niveau de sa tête, de nombreuses pensées l'assaillaient sans relâche. Puis, tandis que je travaillais sur sa gorge, je commençais à ressentir des picotements au niveau de ma propre gorge et, quelques secondes après, j'entendais la personne qui toussait légèrement à son tour et qui commençait à remuer sur la table. Je sentais que cela devenait inconfortable pour elle. Mes mains descendirent sur son plexus solaire. Mes paumes devinrent instantanément moites, tellement il s'y dégageait de la chaleur. Après un moment, le bout de mes doigts me picota tandis que la personne commençait à relâcher sa tension. Quand je suis arrivée au niveau du deuxième chakra, j'ai encore eu la sensation que l'énergie était bloquée à cet endroit et que cela avait une influence sur ses organes. À la fin du traitement, la jeune femme voulut rapidement se lever de la table, ce qu'elle fit sans que je puisse l'en dissuader. Il lui fallut quelques instants pour que sa tête arrête de tourner. Mais son partage fut également très intéressant.

Elle souffrait effectivement de maux de tête en raison de sa grande activité mentale et surtout de problèmes menstruels. Elle se sentait, après cette première séance, beaucoup plus légère et comme «ramollie». Elle me rappela pour continuer son traitement et me dit qu'il y avait des années qu'elle n'avait pas aussi bien dormi. À chaque séance, elle s'abandonnait plus facilement et en retirait plus de bénéfices, et plus particulièrement au niveau de la détente et du soulagement de son mal de reins lors de ses menstruations. Cependant, elle me confia que le Reiki l'avait beaucoup fait réfléchir sur sa vie. Elle commençait à prendre conscience que son attitude mentale avait un effet direct sur son corps physique et ses relations personnelles. En effet, elle s'était rendu compte que certaines anciennes peurs l'affectaient profondément dans son corps de femme, car elle avait déjà eu des infections vaginales et des vaginites.

- Un autre cas concerne cette fois un artiste. Je commençais, comme d'habitude, par la tête et ressentis presque immédiatement des picotements au bout des doigts. Puis je continuai à travailler au rééquilibrage des chakras. Quand j'arrivai au niveau du chakra du plexus solaire, je ressentis comme un bouillonnement intense. Je me dis que ce jeune homme devait vivre bien des émotions qui provoquaient une perte de son énergie à ce niveau. J'avais l'impression que l'énergie qui émanait de son plexus solaire s'échappait dans tous les sens. Quand je descendis au niveau du hara, je sentis d'abord une grande chaleur qui devint rapidement comme une brûlure, pénible. Je le voyais en train de soupirer et de s'agiter. Même moi, je ne me sentais pas bien lorsque je travaillais sur cette zone. Je suivis mon intuition et poursuivis le traitement. Quand j'arrivai au genou gauche, une chaleur se dégagea, mais elle était douce et agréable. Je sentis la personne se détendre graduellement. Quand je fus vers ses pieds, il était vraiment détendu.

À la fin du traitement, je vis qu'il n'avait plus tellement envie de bouger et encore moins de se lever. Je le vis beaucoup plus calme. Mais il me dit qu'il sentait encore une douleur, quoique supportable, au niveau du deuxième chakra. J'essayais de l'aider, mais je sentis alors clairement que je ne devais plus interférer, car l'énergie du Reiki continuait à faire son travail de purification, même si le jeune homme continuait à ressentir une chaude pression. Il me rappela le lendemain pour me dire que la douleur, toujours persistante même si elle était supportable, continuait à se manisfester. Je le revis et sentis encore une chaleur très forte à cet endroit, mais moins pénible que la première fois. Quand il partagea l'expérience de sa deuxième séance, il finit par me confier qu'il avait subi des abus de toutes natures à la suite d'un maternage excessif. Il se sentait mieux, mais, en raison de sa grande sensibilité, il savait que le travail énergétique n'était pas fini. Pour cela, il lui fallait aborder la phase du pardon. Il sentait que l'énergie du Reiki l'aidait dans ce sens par des prises de conscience de lui-même et de son interaction avec son environnement.

Le lendemain de la deuxième séance, il se réveilla avec les mêmes effets que la psylosybine (ingrédient actif contenu dans les champignons hallucinogènes). Pourtant, il n'en prenait plus. Les cellules de notre corps ayant une mémoire, y compris celle de nos intoxications, cette réaction de nettoyage était normale.

La troisième séance porta sur le pardon et sur une prise de conscience encore plus profonde. Cette fois-ci, le lendemain matin, il ressentit les effets d'alcool alors qu'il n'avait rien consommé, puisque je recommande toujours à la personne traitée de ne prendre aucun excitant et de se coucher plus tôt que d'habitute la veille du traitement.

Deux mois après, sa consommation de drogues, d'alcool s'est presque totalement arrêtée. Son attitude changea tellement que son approche vis-à-vis de la nourriture s'en ressentit. Il se mit à manger en moins grande quantité. Depuis, il est capable de faire la part des choses beaucoup plus facilement, ce qui lui évite de souffrir sur le plan émotionnel.

Maintenant, sa sérénité influence directement sa famille et ses amis.

LE REIKI À DISTANCE

Chaque jour, je reçois des demandes pour du Reiki à distance et je suis continuellement émerveillée des résultats! Ce que je trouve extraordinaire, c'est que ces appels viennent de personnes que je ne connais pas. Mais pour envoyer du Reiki à distance, il suffit simplement d'avoir le nom de la personne, son adresse et son âge. Ensuite, on lui demande à quelle heure elle désire recevoir son traitement, on lui dit de s'intaller confortablement pour une durée de quinze minutes. Le praticien de Reiki se met en état de méditation et, avec l'aide de ses symboles sacrés, transmet le Reiki à la personne qui devra ensuite lui donner des nouvelles sur le résultat de ce traitement. Le Reiki est simple et à la portée de tous!

- Une dame de soixante-sept ans me téléphone régulièrement pour du Reiki à distance. Je suis émue de voir combien le Reiki a augmenté sa foi. Elle était déjà très en contact avec cet Amour divin et, maintenant, son Amour est encore plus grand. Elle souffre de plusieurs problèmes de santé et elle m'a demandé un traitement. Je lui ai fait avec joie. Lorsqu'elle m'a appelée pour me dire comment cela s'était passé, elle a dit avoir reçu beaucoup de chaleur dans ses bras et ses jambes, et que cela lui avait fait du bien. Mais, pour la prochaine fois, elle voulait que je dirige le Reiki vers son ventre, car elle souffrait beaucoup au niveau de sa vessie. J'ai trouvé cela cocasse, car je sais très bien que c'est le Reiki qui décide où aller et non moi, ce que je lui ai expliqué. Mais elle insista quand même. Lors de son deuxième traitement, j'ai demandé à «La Source» s'il était possible de diriger l'énergie de guérison sur la vessie de cette dame, et j'ai continué ma méditation sur elle. Lorsqu'elle me rappela pour me confirmer comment tout s'était passé, elle pleurait de joie. Elle m'avoua avoir ressenti beaucoup de chaleur et un poids sur son ventre. Elle a pu ensuite aller uriner. Elle n'en revenait pas!

- La fille de cette dame a eu un accident d'automobile et elle souffre beaucoup au niveau de la nuque et du cou. Elle m'a téléphoné pour que je lui envoie du Reiki. Après le traitement, elle dit avoir ressenti une énergie, semblable à un choc électrique, courir le long de sa colonne vertébrale. Une chaleur bienveillante l'a envahie, puis la douleur est partie! Elle devait aller voir son médecin la semaine suivante, elle était convaincue qu'il serait surpris. Quand il a constaté qu'il n'y avait pas eu de glissements de ses vertèbres, il a été très fier. Il lui a dit que la cassure commençait à reprendre et que cela l'étonnait beaucoup à cause de son âge. Il lui a même dit que si son état continuait à progresser aussi rapidement que cela, elle pourrait enlever son collet cervical pour se coucher le soir. Elle fut très heureuse.

- Un jeune garçon de neuf ans avait attrapé la varicelle, mais sa mère ne le savait pas. Elle m'a demandé d'envoyer du Reiki à son fils, car il faisait de la fièvre et était très malheureux de ne pas aller à l'école. Après le traitement, la fièvre a tombé et il passa une bonne nuit de sommeil. Le lendemain, lors de son deuxième traitement, la mère m'a confié qu'il était beaucoup mieux. Elle m'a même demandé, pour rire, de lui redonner un peu de fièvre pour le calmer! Le troisième jour, nous avons découvert qu'il avait la varicelle, car les boutons et rougeurs sont apparus. Mais les boutons ne contenaient rien, ils étaient déjà secs, c'est-à-dire «guéris». Deux jours plus tard, les boutons sont réapparus et le même phénomène s'est produit : ils étaient secs. Les rougeurs ont disparu très vite. Le garçon était guéri!

- Une autre dame souffrait d'une douleur à l'épaule gauche et cette douleur descendait tout le long de son bras. Lorsque je l'ai rencontrée, j'ai posé par hasard mes mains sur la bonne épaule et l'énergie s'est activée. Quelle surprise! Je n'avais même pas eu besoin de l'appeler, elle s'est manifestée toute seule et, après cette rencontre, la dame n'a plus eu mal à l'épaule!

- Un jour, une jeune fille m'a raconté comment elle et sa copine étaient découragées. Elles cherchaient du travail depuis fort longtemps et n'en trouvaient pas. Bien sûr, les dettes augmentaient chaque jour; les filles étaient de plus en plus déprimées et inquiètes. L'une d'elles perdait même rapidement le goût de vivre. L'autre, très inquiète, m'a téléphoné pour me demander de leur envoyer du Reiki à distance et j'ai accepté. Le lendemain matin, je recevais de merveilleuses nouvelles : les deux avaient trouvé du travail. Même que le jour suivant, l'une d'elles m'a demandé du Reiki pour augmenter ses chances d'obtenir une promotion lui permettant d'avoir une voiture fournie par l'entreprise. Vous l'avez deviné, elle a obtenu et la promotion et la voiture! Depuis ce jour, ces deux jeunes filles cheminent doucement, se libérant de leurs problèmes et sachant que rien n'est impossible, qu'il s'agit seulement de demander. Le Seigneur n'a-t-il pas dit : «Demandez et vous recevrez»?

TECHNIQUE DE TRAITEMENT À DISTANCE

Une personne désire que vous lui envoyiez du Reiki. Fixez avec cette personne l'heure à laquelle elle sera disponible à le recevoir et demandez-lui de s'asseoir ou de s'étendre. Le traitement ne dépasse jamais quinze minutes. Demandez à cette personne de vous donner des nouvelles après le traitement si elle ne s'est pas endormie. Dans le cas contraire, elle peut vous téléphoner le lendemain quand elle en aura la chance.

1. Rincez vos mains.
2. Faites la prière suivante:
   Ô Grande Source de tout ce qui est,
   je m'offre à toi comme un canal vivant de ta Volonté Divine.
   Fais descendre en moi Ton Énergie de guérison
   et que ta Volonté soit faite! (PUIS, CENTRAGE DU CŒUR:)
   Je suis La Lumière, etc...
3. Visualisez la pièce remplie de lumière blanche et dessinez aux quatre coins de la pièce les trois symboles sacrés.
4. Dites à voix haute:
   Mon nom est... et je veux envoyer du Reiki à
   (le nom de la personne, son adresse, la ville, son âge).

Demandez à la personne si elle veut recevoir ce Reiki. Attendez de ressentir la réponse dans votre cœur. Si vous avez le moindre doute, cessez la séance. Si la réponse est favorable, faites ce qui suit:

Visualisez un lit de lumière blanche en avant de vous, entre vos deux mains.

Demandez-lui de s'étendre sur votre lit de lumière blanche. Dites-lui que vous lui envoyez ce Reiki parce que vous l'aimez d'un amour inconditionnel.

Donnez-lui par la suite, et dans l'ordre, les trois symboles sacrés: HSZSN, CKR et SHK. Vous pouvez répéter souvent les symboles.

Laissez votre cœur vous guider. L'Énergie Divine peut vous suggérer certains gestes; n'hésitez pas à les faire, et ne portez aucun jugement sur ce qui vous est inspiré.

Après les quinze minutes, remerciez cette personne de vous avoir donné l'occasion de lui offrir ce Reiki. Souhaitez-lui de se sentir mieux. Dites-lui au revoir.

Fermez doucement les mains et allez les rincer.

Le traitement est terminé. Attendez que la personne vous donne de ses nouvelles. Ne lui téléphonez pas car, souvent, le Reiki procure aux gens un sommeil profond. Il est préférable, dans un tel cas, de laisser la personne bénéficier du bien-être qu'elle est en train de recevoir.

Suivez les photos qui vous montrent la technique.

La prière «Ô Grande Source» (etc.).

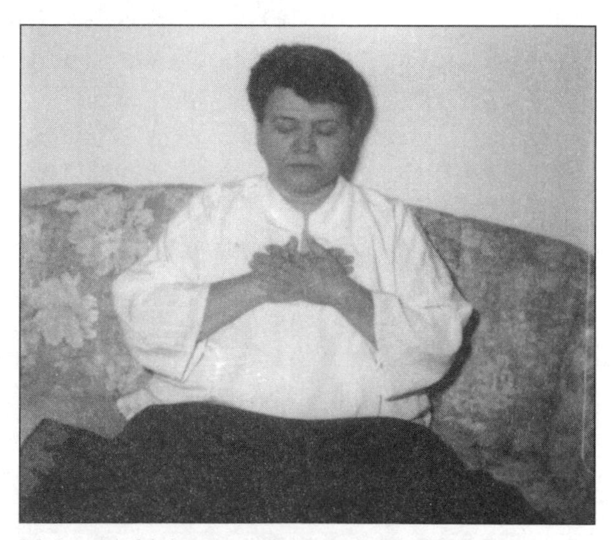

Répétez trois fois le centrage du cœur «Je suis La Lumière» (etc.).

Visualisez votre lit de lumière blanche entre vos mains.

Visualisez que vous passez votre main sur la personne à qui vous donnez du Reiki dans un mouvement de la tête aux pieds, et autant de fois que vous le désirez. Ce geste apporte réconfort et assurance à la personne qui le reçoit.

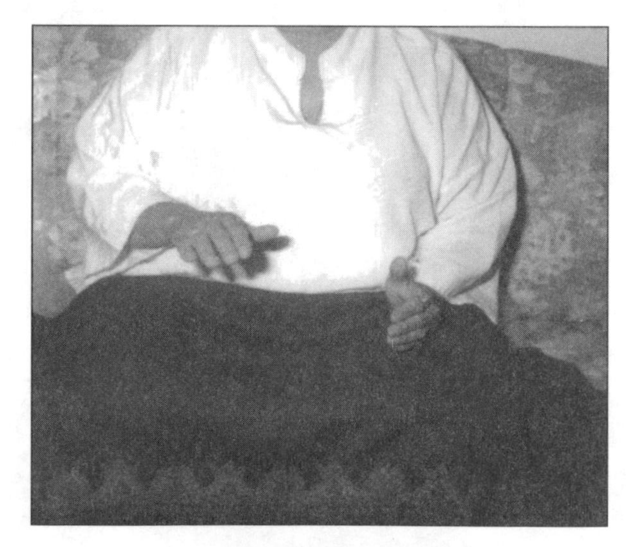

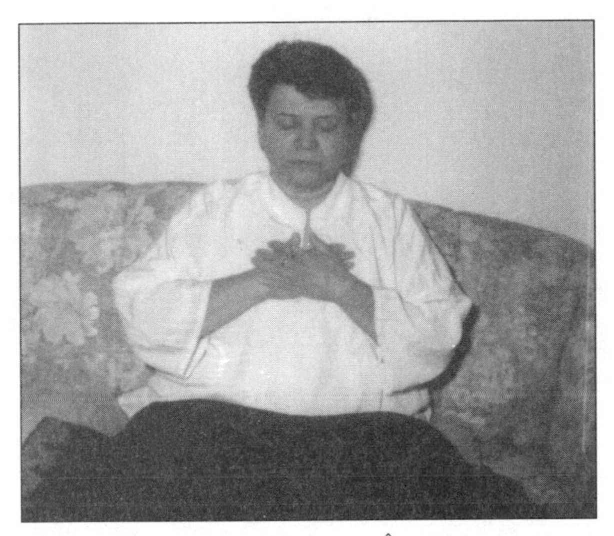

Les mains sur le cœur, remerciez tous les Êtres Divins qui vous ont guidé.

Bonne chance !

REIKI DE SITUATION

Lavez vos mains à l'eau plus froide que chaude.

Prière:

Ô Grande Source de tout ce qui est *(etc.)*.

Centrage du cœur:

Je Suis La Lumière *(répétez trois fois)*,
La Lumière est dans mon cœur,
La Lumière sort de mon cœur,
La Lumière m'entoure,
La Lumière me protège,
Je suis La Lumière.

Demandez à Dieu ce que vous désirez pour vous-même ou pour quelqu'un d'autre. Par exemple:

Mon Dieu, si telle est votre volonté, faites que je ressente l'énergie d'amour, de compassion et de pardon qui circule en moi lorsque je me donne du Reiki ou lorsque j'en donne à quelqu'un d'autre. Merci!

Enveloppez ensuite cette prière dans une bulle de lumière blanche ou, si vous la ressentez dans votre cœur, entourez cette prière d'un arc-en-ciel.

Si vous priez pour quelqu'un d'autre, demandez à Dieu de lui laisser une ouverture au chakra de la couronne afin qu'il soit branché à sa Source Divine. Puis, dessinez les trois symboles sacrés sur la bulle.

Terminez, en disant: «Que Ta Volonté soit faite.»

Puis, envoyez cette bulle de lumière dans l'Univers. Voyez-la disparaître, conscient que tout ira pour le mieux.

Allez vous laver les mains.

Ne répétez pas plus d'une fois cette technique pour un même objectif. L'Univers a très bien reçu votre demande.

CONCLUSION

Quand j'ai décidé d'écrire ce livre, je voulais répondre aux questions des gens qui s'intéressaient au Reiki, mais qui n'avaient aucune connaissance des chakras ou de l'énergie, et qui avaient peur de vivre cette extraordinaire expérience. J'espère être arrivée à répondre à toutes vos questions. Prenez conscience de ce que vous venez de lire, ouvrez votre cœur et votre esprit, étudiez tous ces témoignages et constatez à quel point cette énergie subtile devient tangible pour ceux qui ont reçu les initiations. Souvent, les gens me demandent s'ils pourront se rendre compte qu'ils ont bel et bien été initiés. Je leur réponds : «Vous verrez, cela est très clair, on le sait, on le sent, on y touche.»

Il deviendra évident pour chacun que les différents chakras avec lesquels le Reiki travaille ont été harmonisés, activés et purifiés. Vous avez lu comment les gens expriment ces ouvertures de leurs chakras (la couronne, le troisième œil, le cœur et les mains) et, avec précision, tous les décrivent!

Lorsqu'on parle des couleurs, on décrit toujours le blanc, le bleu, le doré et le violet. Presque tous ont été en contact avec ces couleurs qui représentent, en fin de compte, les couleurs des chakras et leur lien avec l'énergie du Reiki. Pour ceux qui n'ont aucune connaissance des chakras et de l'énergie, je vous suggère un amusant petit exercice : choisissez un témoignage et, en vous servant de la description de l'initiation, vérifiez quel chakra a été mis en activité et la couleur à laquelle il correspond. Cela vous permettra de faire une démarche personnelle vers une meilleure compréhension de l'énergie et de sa relation avec les chakras.

Plusieurs personnes, y compris moi, ont affirmé ne plus voir la vie de la même façon. C'est comme si nous avions reçu une nouvelle paire d'yeux! Et le cœur plein de gratitude, nous rendons grâce à cette merveilleuse énergie qu'est le Reiki qui, maintenant, remplit notre vie. En terminant, je veux partager la prière suivante qui explique bien l'état dans lequel nous étions avant l'initiation.

Lettre d'un ami

J'ai ressenti le besoin de t'écrire pour te dire combien je t'aime et que je me soucie de toi.
Hier je t'ai vu, tu marchais et riais avec tes amis.
J'ai espéré que bientôt tu veuilles que je marche à tes côtés moi aussi.
Donc, je t'ai peint un coucher de soleil pour terminer ta journée et je t'ai chuchoté un vent frais pour te rafraîchir.
Puis j'ai attendu... tu ne m'as jamais appelé, mais j'ai continué à t'aimer.
Comme je te regardais t'endormir hier soir, combien j'ai voulu te toucher.
J'ai déversé un clair de lune sur ton visage, glissant sur tes joues comme plusieurs larmes l'ont fait.
Tu n'as même pas pensé à moi... Je voulais tant te réconforter.
Le jour suivant dans un matin glorieux, j'ai fait éclater un lever de soleil brillant pour toi, mais tu t'es levé en retard et tu es parti à la course pour ton travail. Tu ne t'en es même pas aperçu.
Mon ciel s'est ennuagé et mes larmes étaient de pluie.
Je t'aime... Oh! si seulement tu écoutais, je t'aime vraiment.
J'essaie de te le dire dans le silence du pré vert et dans le bleu du ciel.
Le vent chuchote mon amour à travers le faîte des arbres et les couleurs voyantes de toutes les fleurs.
Je te crie dans un grondement de tonnerre que font les plus grandes chutes d'eau.
Aux oiseaux, je compose des chansons pour qu'ils puissent te les chanter.
Je te réchauffe avec le linceul brillant de mon soleil et je parfume l'air des odeurs douces de la nature.
Mon amour pour toi est plus profond que tout océan et plus grand que tous les besoins de ton cœur. Si tu pouvais seulement réaliser combien je me soucie de toi. Mon Père t'envoie son amour.
Je veux que tu le rencontres, il est soucieux lui aussi.
Tous les pères sont comme ça. Fais-moi signe bientôt;

Peu importe le temps que ça prendra, je vais attendre...
Parce que je t'aime.

Un ami,
Jésu

J'ai entendu ton appel. Je sais que tu es là. Mes yeux et mon cœur se sont ouverts. J'accueille avec respect et reconnaissance la beauté de ta nature et les chants de tes oiseaux. Désormais, j'accepte ton amour avec toute la gratitude de mon être. Je t'aime aussi mon frère... Voilà le langage qu'on tient à la suite d'initiations, quand on devient enfin conscient!

Depuis que je suis maître REIKI, j'ai compris que l'initiation la plus difficile à intégrer est celle de vivre constamment dans la simplicité et l'humilité. À l'égard de la gratitude des gens, après une libération, qui croient que nous sommes responsables des résultats, nous devons constamment répéter que la responsable de ces miracles est l'énergie divine et non le canal. Bien sûr, il est bien de remercier le canal pour le don de sa personne, mais il faut comprendre que c'est là la seule implication du canal. La seule façon que j'ai trouvé pour y arriver, c'est en me demandant tous les soirs si j'ai pratiqué durant la journée l'amour inconditionnel, la gratitude envers tout ce que j'ai reçu et le pardon envers les autres et envers moi-même. Je vous souhaite la grâce d'être toujours en garde contre la jalousie, l'envie et l'orgueil : trois maladies qui grugent l'âme et qui nous empêchent d'aller de l'avant.

BIBLIOGRAPHIE

Michel Odoul, *L'harmonie des énergies, guide de la pratique taoïste*, Éditions Dervy, Paris, 1993

Shalila Sharamon et Bob J. Baginski, *Reiki, rééquilibrer grâce à la Force de Vie Universelle*, Guy Trépanier Éditeur, Paris, 1991

Giancarlo Tarozzi, *Reiki, Énergie et Guérison*, Éditions Amrita Torino, 1992

COLLABORATRICES

Pour consultation et initiation:

Élizabeth Dufour (auteure)
214, rue Rousillon, bureau 3
Laval (Québec) H7G 2L7
Tél.: (450) 662-2323

Vandana Gillian
Tél.: (514) 270-6696

Dianne Lespérance
Tél.: (514) 521-7868

LIGNÉE DES MAÎTRES REIKI

Les générations

Docteur Mikao Usui	Grand Maître REIKI, le fondateur de la méthodologie naturelle du REIKI (1re génération)
Docteur Chijiro Hayashi	Grand Maître REIKI, successeur de Mikao Usui (2e génération)
Hawayo Takata	Grand Maître REIKI, successeur de Hayashi (3e génération)
Iris Ishikuro	Maître REIKI, nièce de Hawayo Takata, initiée Maître REIKI par Hawayo Takata (4e génération)
Dr Arthur L. Robertson	Maître REIKI, président-fondateur de l'A.R.M.A. (American REIKI Master Association), initié Maître REIKI par madame Ishikuro (5e génération)
Jean-Marc Pelletier	Maître REIKI, Maître enseignant initié (#32) de l'A.R.M.A., Maître enseignant initié (#22) Président-fondateur de l'A.C.Q.M.R. (Association canadienne et québécoise des Maîtres REIKI) (6e génération)
Élizabeth Dufour	Maître REIKI, Maître enseignant initié (#1) de l'A.C.Q.M.R. (7e génération)

POUR LE RESTE DE MA VIE...

Pour le reste de ma vie, il y a deux jours dont je ne me soucierai plus.

Le premier, c'est hier avec toutes ses erreurs et ses larmes, ses folies et ses défaites. Hier est passé pour toujours et je ne puis rien y changer.

Et l'autre jour, c'est demain avec ses pièges et ses menaces, ses dangers et son mystère. Jusqu'à ce que le soleil se lève de nouveau, demain ne m'intéresse pas, car il n'est pas encore là.

Avec l'aide de Dieu et en concentrant mes efforts et mon énergie sur un jour à la fois, je peux réussir aujourd'hui! Ce n'est qu'en accumulant les fardeaux de ces deux terrifiantes éternités, hier et demain, que je risque de ployer sous la charge. Jamais plus! Ce jour m'appartient! C'est le seul qui existe! Il n'y a qu'aujourd'hui! Aujourd'hui est le reste de ma vie et je suis déterminé à mettre chaque heure à profit de la manière suivante...

Pour le reste de ma vie, en ce jour très spécial, mon Dieu, aidez-moi...

... à suivre le sage conseil de Jésus, de Confucius et de Zoroastre et à traiter tous les gens que je rencontrerai, amis ou ennemis, étrangers ou membres de la famille, comme je voudrais qu'ils me traitent.

... à maîtriser ma langue et mon comportement, et en évitant de trouver des défauts aux autres et de les insulter.

... à accueillir tous les gens que je rencontrerai avec le sourire plutôt qu'avec les sourcils froncés, et avec un mot d'encouragement plutôt qu'avec dédain ou, pire encore, en gardant le silence.

... à être sympathique et attentif aux chagrins et aux combats des autres, en comprenant que toute vie comporte des difficultés cachées, qu'elle semble exaltante ou triste.

... à manifester de la bonté pour chacun, en comprenant que la vie est trop courte pour être vindicatif ou malicieux, mesquin ou désagréable.

Pour le reste de ma vie, en ce jour très spécial, mon Dieu, aidez-moi...

... à me répéter sans cesse que, pour récolter plus de maïs à l'automne, je dois semer davantage au printemps.

... à comprendre que la vie me récompense toujours selon mes propres conditions, et que si je ne fais jamais rien ou je n'en fais jamais plus que ce pour quoi l'on me paie, je n'aurai jamais de raison d'exiger plus d'or.

... à toujours donner plus que ce que l'on attend de moi, que ce soit au travail, au jeu ou à la maison.

... à travailler avec enthousiasme et amour, quelle que soit ma tâche, en constatant que si je ne puis tirer de bonheur de mon travail, je ne saurai jamais ce qu'est le bonheur.

... à persévérer dans le travail que j'ai choisi, même lorsque les autres ont cessé de travailler, car maintenant je sais que l'ange du bonheur et la fortune ne m'attendent qu'au bout du kilomètre additionnel qu'il me reste à parcourir.

Pour le reste de ma vie, en ce jour très spécial, mon Dieu, aidez-moi...

... à me fixer des objectifs à réaliser avant la fin du jour, car maintenant je sais que le fait de laisser tout bonnement passer les heures ne me conduira qu'à une destination : le port du malheur.

... à me rendre compte qu'aucune route conduisant à la réussite n'est trop longue si j'avance bravement et sans hâte injustifiée, et qu'il n'y a pas de récompense trop distante si je m'y prépare maintenant, avec patience.

... à ne jamais perdre foi en un lendemain meilleur, car je sais que si je continue à frapper assez longtemps et assez fort à la porte, j'attirerai à coup sûr l'attention de quelqu'un.

... à me rappeler sans cesse que la réussite a toujours un prix et que je dois être prêt à peser les joies et les récompenses contre une précieuse portion de ma vie.

... à m'accrocher à mes rêves et à mes projets d'une vie meilleure, parce qu'en les abandonnant, même si j'existe encore, j'aurai cessé de vivre.

Pour le reste de ma vie, en ce jour très spécial, mon Dieu, aidez-moi...

... à m'efforcer de concrétiser ce qu'il y a de meilleur en moi, en sachant que je ne suis pas obligé de viser la richesse ou une réussite exceptionnelle, mais que je suis obligé de mettre à profit ce que j'ai de plus grand et de meilleur.

... à ne jamais succomber à la peur de l'échec, car maintenant je tournerai le regard vers les objectifs qu'il me reste à atteindre plutôt que de baisser les yeux vers les pièges qui me menacent constamment.

... à accueillir l'adversité comme une amie qui m'en apprendra bien plus à mon sujet que toute joyeuse aventure de succès et de bonne fortune.

... à me rappeler que les échecs, même lorsqu'ils se matérialisent, ne sont que des guides vers la réussite, puisque toute découverte de ce qui est faux m'amènera à rechercher le vrai, et que toute expérience me montrera des erreurs que j'éviterai soigneusement par la suite.

... à me réjouir de ce que je possède, même si ce n'est pas beaucoup, me rappelant constamment la légende de l'homme qui pleurait parce qu'il n'avait pas de chaussures, jusqu'à ce qu'un jour il rencontre un homme qui n'avait pas de pieds.

Pour le reste de ma vie, en ce jour très spécial, mon Dieu, aidez-moi...

... à m'accepter tel que je suis sans jamais laisser ma conscience ou mon sens du devoir me forcer à mener une vie pour le seul bénéfice des autres.

... à apprendre que je ne dois jamais considérer les louanges et l'amour des gens comme une mesure de ma valeur personnelle, puisque ma vraie valeur dépend beaucoup plus de la façon dont je me vois et de ma participation au monde qui m'est extérieur.

... à résister à la tentation de surpasser les réalisations des autres, puisque ce désir pathétique et pourtant répandu n'est rien d'autre qu'un signe d'insécurité et de faiblesse, et que je ne serai jamais moi-même si je laisse les autres m'imposer mes normes de vie.

... à agrémenter tous mes gestes, tant au travail que pendant mes loisirs, d'étincelles d'enthousiasme, de manière que mon emballement et mon zèle pour ce que je fais surpassent toutes les difficultés qui risquent de ralentir mes progrès.

... à me rappeler que je dois payer le prix, sous forme de temps et d'énergie, pour accroître ma valeur, car seul le fou reste oisif et attend que la réussite lui tombe du ciel, et maintenant je sais que la seule façon de commencer au sommet est de creuser un trou.

Pour le reste de ma vie, en ce jour plus important que tous les autres, mon Dieu, aidez-moi...

... à faire aux autres ce que je voudrais qu'ils me fassent, à donner davantage de ma personne, heure après heure, que ce que l'on attend de moi, à me fixer des buts et à m'accrocher à mes rêves, à chercher le côté positif de l'adversité, à exécuter toutes mes tâches avec enthousiasme et amour et, par-dessus tout, à être moi-même.

Aidez-moi, mon ami spécial, à réaliser ces objectifs, afin que je devienne un chiffonnier de valeur, travaillant en votre nom avec une force renouvelée et la sagesse de sauver les autres comme vous m'avez sauvé. Et par-dessus tout, demeurez près de moi tout au long de cette journée...

PRIÈRE PRÉPARATOIRE

(à utiliser avant chaque traitement)

Invoquez la présence des Archanges et des Guides.

Je demande aux Archanges Gabriel, Uriel, Michaël, Raphaël, Haniel et Camael, le Seigneur Sanath Kumara, le Seigneur Melchizédech, les Maîtres Guides et les Guides à venir prendre place dans cette pièce!

Je remplis cette pièce d'un arc-en-ciel de Lumière de guérison et de protection Divine, et je laisse une ouverture au chakra de la couronne de toutes les personnes visibles et invisibles qui se trouvent dans cette pièce afin qu'elles soient branchées à leur Source Divine.

Achevé d'imprimer sur les presses
d'Imprimerie Quebecor L'Éclaireur
Beauceville